KB196571

방황하는 소설

방황하는 소설

초판 1쇄 발행 2023년 12월 22일
초판 3쇄 발행 2024년 12월 13일

지은이 • 정지아 박상영 정소현 김금희 김지연 박민정 최은영
엮은이 • 이제창 김언동 박미진 박소영 홍재봉 서정윤
펴낸이 • 황혜숙
편집 • 고한별 최윤영
조판 • 이주니
펴낸곳 • (주)창비교육
등록 • 2014년 6월 20일 제2014-000183호
주소 • 04004 서울특별시 마포구 월드컵로12길 7
전화 • 1833-7247
팩스 • 영업 070-4838-4938 | 편집 02-6949-0953
홈페이지 • www.changbiedu.com
전자우편 • contents@changbi.com

방황하는 소설

정지아·박상영·정소현·김금희

김지연·박민정·최은영

창비

흔들리며 피는 모든 꽃을 응원하며

"오늘 엄마가 죽었다. 아니 어쩌면 어제, 잘 모르겠다."

1942년에 출간되어 1957년 노벨상을 받고 101개의 언어로 번역되어 전 세계에서 수천만 부가 팔린 20세기의 문제작, 『이방인 L'Étranger』의 첫 구절입니다. 부조리한 세상에서 인간이 어떻게 살아가야 하는지에 대한 근원적 질문을 담고 있는 이 작품은 사회적 공감대를 상실한 개인의 내면을 건조하게 묘사합니다. 이 작품을 쓴 알베르 카뮈는 삶의 부조리란 개인적 욕구와 사회적 현실의 불일치에서 오는 것이며, 이러한 부조리를 인식하는 것이야말로 참된 인간의 기본 조건이라고 역설합니다. 하지만 부조리한 세상은 오늘날에도 여전하며 우리들의 삶은 점점 더 메말라 갑니다.

빠르게 변화하는 현대 사회는 전통적인 가치관을 파괴하고 관습화된 논리를 낯선 것으로 만들어 버립니다. 사회는 매우 혼란스럽고 이에 사람들은 방황하지 않을 수 없습니다. 그가 고발했던 부조리한 현실은 그가 말했던 시대에서 한 발짝도 나아가지 않았습니다. 그런 점에서 보면 우리 모두는 그가 말한 '이방인'일는지도 모릅니다.

우리는 대한민국의 젊은 작가들이 바라본 사람과 세상을 모아 또 하나의 '이방인'을 만들어 보고 싶었습니다. 카뮈가 바라봤던 눈으로 그러한 인자를 갖춘 작품들을 섭렵하여 이것이야말로 오늘날의 한국 사회를 담은 '이방인'이라 말하고 싶었습니다. 정보의 과부하와 경제적 압박, SNS로 조장되는 사회적 빅달감과 수많은 선택지로 고통받는 현대 사회에서 개인과 사회, 도덕과 도덕적 가치, 감정과 무감정, 삶의 의미를 다시금 생각해 보고자 하였습니다. 이를 통해 방황하는 이들에게 도전적인 질문을 던지고 싶었습니다. 당신은 지금 어디로 가고 있습니까?

방황이 청소년들의 전유물인 것처럼 이야기하는 경우가 많습니다. 질풍노도의 시기라 일컫는 그때가 방황에 가장 잘 어울리는 시기임은 자명하지요. 하지만 방황은 그들만의 것이 아닌, 모든 세대를 관통하는 키워드라 보아야 합니다. 누군가에게 애정을 갖고 그의 삶을 자세히 들여다보면, 어떤 사람도 방황하지 않고 살아갈 수 없음을 알게 됩니다. 그래서 이 책에는 여러 세대를 아우르는 다양한 고민과 방황을 담으려 노력하였습니다.

방황의 이유가 되는 원인 또한 다양하게 담으려 애썼습니다. 개인적 일탈에서부터 경제적 불안과 직업적 불안, 기술과 사회 변화에 따른 불안까지, 방황의 스펙트럼을 넓힌 작품을 수록하고자 하였습니다. 이를 통해 작품 속에 담긴 방황을 추체험하고 나만 그런 것이 아니라는 깨달음에 위로받고 무너진 자존감을 회복하여 스스로 초극할 기회를 만들어 주고자 하였습니다.

삶은 방황이며 방황은 삶의 일부입니다. 그러므로 삶의 목적은 무언가를 찾아내는 것이 아니라 방황하는 것일 수도 있습니다. 방황하지 않으면 당신은 그 어디에도 도달할 수 없습니다. 따라서 모든 방황은 새로운 발견의 시작입니다. 불확실한 길을 걸을 때 아이러니하게도 그곳에서 가장 아름다운 것을 발견할 수도 있습니다. 방황은 우리가 무엇을 원하는지 파악하기 위한 과정이며 우리는 방황을 통해 미래의 목표나 방향을 설정할 수 있습니다.

마음에 드는 '방황하는 소설'을 찾기 위해 엮은이들 또한 끊임없이 방황하였습니다. 방황의 테제를 어떻게 잡아야 할지 수없이 고민하였고 그런 모습을 한 인물들을 찾아 헤맸습니다. 설령 마음에 드는 작품이 있다고 하더라도 우리 뜻대로 실을 수 있는 것도 아니었습니다. 여기 일곱 편의 작품이 우리가 보여 주고 싶은 삶의 이야기입니다. 이 책을 위해 물심양면으로 지원을 아끼지 않은 창비교육 정현민 팀장님과 고한별 편집자님께 깊은 감사의 마음을 전합니다. 이 책을 만난 경험이 여러분의 인생에서 가장 아름다운 것을 찾아가는 뜻깊은 여정이 되었으면 하는 바람입니다.

2023년 12월
여전히 삶의 방향을 찾아가는 엮은이들 드림

차례

정지아

1990년『빨치산의 딸』을 펴내며 작품 활동을 시작했다.
소설집『행복』,『봄빛』,『숲의 대화』,『자본주의의 적』,
장편 소설『아버지의 해방일지』등이 있다.
김유정문학상, 심훈문학대상, 이효석문학상, 한무숙문학상, 올해의소설상,
노근리평화문학상 등을 수상했다.

존재의 증명

그는 자신이 처한 상황을 전혀 알지 못했다. 에티오피아 하라를 다 마시기 전까지는. 2팝 초까지 중배전했는지 깊은 다크 초콜릿 향이 인상적인 하라였다. 하라는 랭보가 가장 사랑한 커피이기도 했다. 스무 살에 이미 시와 결별한 랭보는 연인 베를렌과도 결별한 후 세계를 떠돌았다. 그러다 자리를 잡은 곳이 에티오피아의 하라였다. 시를 버린 그는 하라에서 무기와 커피를 파는 무역상이 되었다. 시와 커피와 무기…… 이 세 가지는 공통점이 있었다. 없어도 인간이 사는 데 별 지장이 없다는. 저항과 반항의 상징이었던 시인 랭보는 삶 자체를 부정하고 싶었던 것일까? 그래서 마침내는 무기상이 되었는지도 모를 일이었다. 그는 무기상이 되었다가 병에 걸려 다리 하나를 자르고 서른일곱의 나이에 세상마저 버린 랭보의 삶이 꽤 마음에 들었다. 돈이든 여자든 목숨이든 하찮게 버릴 수 있는 인생이야말로 진짜 뽀대 나는 인생이라는 게 그의 지론이었다. 지론을 되새기면서 그는 잔을 내려놓았다. 그리고 문득 한 생각이 스쳐 갔다. 근데 내가 왜 여기 있지?

왜 왔는지 도무지 기억나지 않았다. 여기가 어딘지도 알 수 없었다. 머릿속이 구름에 잠긴 알프스 같았다. 알프스, 라는 단어에 뒤이어 한 장면이 떠올랐다. 구름이 눈처럼 소복이 쌓인 알프스 전경을 내려다보면서 누군가 신라면을 먹고 있었다. 본 듯이 선명한 장면이었다. 누군가는 그 자신일 수도 있었다. 알프스에 간 적이 있었는지 기억을 되짚었다. 루체른의 호수, 영혼의 약국이라 불리는 생 갈렌 수도원의 도서관, 마테호른의 설산 등등 여러 장면들이 떠오르긴 했다. 그러나 그게 영화나 드라마 속 장면인지 누군가의 블로그에서 본 사진인지, 혹은 그가 직접 경험한 장면인지 분명하지 않았다. 그만의 기억이라고 말하기에는 너무 널리 알려진 일종의 공공재였다. 그는 다시 자신의 뇌를 헤집으며 사적인 기억을 발견하려 노력했다.

곰곰 기억을 더듬던 그는 마침내 결론을 내렸다.

나는 기억을 잃었다.

이름조차 기억나지 않는다는 건 기억 상실이 아니고는 설명할 수 없었다. 결론과 동시에 피식, 헛웃음이 새 나왔다. 기억 상실이라니. 아침 드라마나 주말 드라마의 가장 식상한 소재가 그의 현실이 된 것이다. 드라마와 달리 지금 그가 처한 상황은 전혀 식상하지 않았다. 기억나지 않는 그의 과거가 롤러코스터 같았다 한들 이보다 참신하고 혁명적인 순간은 아마도 없었을 터였다.

흰 와이셔츠 차림의 청년이 그를 향해 다가왔다. 군중 속에서 익숙한 얼굴을 발견한 듯한 반가운 표정 때문에 그는 다소 마음을 놓았다. 청년과 그는 아는 사이가 분명했다.

"한 잔 더 드릴까요?"

말꼬리를 높일까 내릴까 잠시 고민하던 그는 내리기로 결정했다.

"네."

이 집의 하라는 한 잔 더 할 충분한 가치가 있었다. 빗방울이 마른 땅을 막 적시기 시작한 순간, 잠들었던 땅이 기지개를 켜면서 나야, 라고 나지막이 읊조리는 듯한 커피였다.

"저…… 저를 아시나요?"

이 정도 커피라면 그의 단골 카페일지도 몰랐다. 지금의 그라면 반드시 다시 찾을 맛이었다. 청년이 환하게 웃었다.

"그럼요. 단골이신데요. 게다가 하라를 찾는 손님은 많지 않지요. 식은 커피가 싫어서 완샷을 두 번 시키는 손님은 더더욱 없구요."

잠시 머리가 복잡했다. 단골 카페라고 해도 도와주세요, 내가 누군가요? 나는 기억을 잃었어요, 라고 솔직하게 말할 수는 없는 노릇이었다. 주인인지 직원인지 모를 이 청년이 단골손님에 대해 얼마나 알고 있을지도 미지수였다.

"저에 대해 또 알고 계시는 게 있나요?"

손님이 할 만한 질문은 물론 아니었다. 그러나 그의 머릿속에 떠오른 수많은 질문 중에서는 가장 무난했다. 눈빛에 약간의 의아함이 담겼지만 청년은 선선히 대답했다.

"비가 오는 날에는 피베리를 드시죠."

케냐의 피베리는 하나의 체리 안에 두 개가 아닌 하나의 생두가 들어 있는 커피콩이다. 두 개의 생두에 들어갈 맛을 한꺼번에 간직하고 있다고 해서 커피의 에센스라고 불리기도 한다. 청년의 말을 듣는 순간 아마도 위키 백과에 적혀 있을 법한 문구가 술술 떠올랐다. 적어도 한 가지는 알게 된 셈이었다. 과거의 그는 커피에 대해 잘 알고 커피를 좋아하는 사람이었다. 기억을 잃은 지금 떠오르는 정보들이 옳다고 가정한다면 그, 보다 정확하게 그였던 자의 커피 취향은 더할 나위 없이 훌륭했다.

"처음 피베리를 드셨을 때 왜 피베리를 좋아하시냐는 제 질문에 답하셨던 거, 기억나세요?"

물론 기억나지 않았다. 그는 지금 제 이름조차 기억하지 못하는 처지였다. 그는 모호한 해석을 기대한 채 어깨를 으쓱해 보였다.

"서운해서라고, 첫 키스한 여자를 집에 들여보내고 돌아선 기분이라고, 피베리를 두고 그런 말은 첨 들었거든요."

청년이 이를 드러낸 채 활짝 웃었다. 교정한 듯 가지런한 이가 지나치다 싶을 만큼 새하얬다. 너무 완벽해서 살아 있는 몸의 일부처럼 느껴지지 않았다. 어쩐지 대화를 중단하고 싶은 마음이 들었지만 지금은 취향을 따질 계제가 아니었다. 어떻게든 청년으로부터 그에 대한 가급적 많은 정보를 얻어야만 했다.

"제가 뭐 하는 사람 같으세요?"

"공부하는 분 아니세요?"

청년의 말을 듣고서야 그는 자신의 나이도 모른다는 당연한 사실을 깨달았다. 거울로 제 얼굴을 비춰 보고 대충의 연령대를 짐작해야 할 판이었다. 어림잡아 마흔에 가까운 나이로 보이지는 않는 듯했고 대학생보다는 들어 보이는 듯했다. 청년의 나이가 이십대 후반 정도, 그가 대학생으로 보였다면 손님이라고 해도 지금처럼 깍듯한 존대를 하지는 않았을 터였다.

"왜 그렇게 생각하셨는데요?"

"아무 때나, 불규칙하게 들르셔서요. 하루에 두세 번씩 들르실 때도 있고, 자주 책을 읽으시기도 하고 그래서 이 근처 사시는 대학원생이신가 보다 했죠."

그럴 듯했다. 하루에 두세 번씩 카페에 들락거렸다면 일단 직장인은 아닐 터였다. 뭐 백수일 수도 있을 테지만. 이 근처 살 거라는 청년의 추론도 맞을 듯했다. 커피에 미치지 않고서야 하루에 두세 번씩 먼 거리의 같은 카페에 드나들지는 않을 테니까. 동네마다 좋은 생두를 직접 로스팅하는 괜찮은 커피 전문점들이 우후죽순으로 생기는 판이었다. 그러고 보니 그의 기억은 그 자신에 대한 정보만 싸그리 지워진 것 같았다. 원래 기억 상실증이라는 게 그런 건지 그의 경우만 특수한 것인지는 알 수 없었다. 기억 상실증에 걸릴 줄 알았다면 아침 드라마를 봐 둘걸. 기억나지 않는 과거가 처음으로 후회스러웠다. 드라마의 식상한 단골 소재에 대해 정작 그는 아는 게 없었다.

"그밖에 저에 대해서 아시는 게 있나요?"

그는 자신의 질문이 기억 상실증에 걸린 사람의 것으로 느껴지지 않게 최대한 평온하게 물었다. 다행히 청년이 그를 환자나 이상한 놈으로 여기는 것 같지는 않았다. 인문학이 유행인 시대니까 자기 발견 혹은 자기반성의 노력쯤으로 해석했을 수도 있었다.

"글쎄요. 늘 혼자 오시고 워낙 말을 걸지 않으셔서…… 이렇게 길게 대화를 나눈 건 오늘이 처음인걸요. 그럼…….''

잠시 뒤 청년은 새로 내린 하라를 들고 다시 나타났다. 청년이 그의 자리로 다가올수록 하라 특유의 흙 향이 짙어졌다. 찻잔은 발퀴레 로씨의 블랙 스트라이프였다. 하라와 로씨, 나쁜 조합은 아니었다. 그러나 찻잔을 내려놓는 청년의 새하얀 이처럼 지나친 감이 있었다. 하라에는 뭐니 뭐니 해도 안캅의 팔레르모였다. 에스프레소 잔은 형태든 무늬든 집중력을 흐트러뜨려서는 안 된다. 기본에 충실한 팔레르모는 아무 장식이 없음에도 불구하고 그 형태만으로 완벽했다. 단순하지만 흠 잡을 데 없는 완벽함. 대지의 향을 품기에 가장 적절한 조합이었다.

로씨의 블랙 원심형 무늬가 거슬리긴 했지만 깊은 대지의 향이 그를 사로잡았다. 그는 로씨 손잡이를 엄지와 검지로 붙잡았다. 그는 작은 에스프레소 잔에 적합한 자신의 긴 손가락이 마음에 들었다. 손가락 모양이 발퀴레의 명성에 흠이 되지 않도록 각도를 조절하면서 그는 찻잔을 들어 올렸다. 몇 년 전부터 발퀴레가 유행하면서 카페품들이 판을 치고 있었다. 그러나 이 카페의 발퀴레는 진품이었다. 잔의 모양을 흉내 내기는 쉽지만 이 무게감까지 흉내 내기란 쉽지 않다. 찻잔의 무게감을 즐기면서 그는 하라를 한 모금 입에 머금었다. 가장 먼저 은은한 신맛이 제 존재감을 드러냈고 그 맛을 채 음미하기도 전에 다크 초콜릿 향이 치고 올라왔다. 삼키고 나자 달달한 허니 향이 오래도록 입 안에 맴돌았다. 자신이 누구인지도 모르는 난감하기 짝이 없는 이 상황조차 잠시 잊을 만한 맛이었다. 적당한 반응인지는 알 수 없지만 약간의 여유가 생겼다. 그게 커피에 대한 예의이기는 했다. 밤샘 기도하는 수사들의 잠을 깨우기 위한 용도로 탄생했다는 설도 있지만 설령 그렇다 한들 오늘날까지 각성제 대용쯤으로 여기는 건 커피에 대한 예의가 아니다. 커피는 소환의 마력을 지니고 있다. 가슴 시린 이별, 탈락의 고배, 자위의 허무, 그 모든 것들로부터 커피는 인간을 소환하여 오롯이 저를 느끼게 만든다. 가만히 무릎 꿇고 무장 해제한 채 몸을 맡기는 것이 마력에 대한 예의인 것이다. 어쩌면 자신이 누구인지를 잊은 지금이 커피를 음미하기에는 최적의 순간인지도 몰랐다.

에스프레소는 세 모금만에 사라졌다. 그는 그를 다시 소환했다. 물론 과거의 그는 여전히 소환되지 않았다. 에스프레소 한 잔에 기억 상실증 치료의 마법까지 기대할 수는 없는 노릇이라 딱히 서운하거나 실망스러울 건 없었다. 그는 천천히 몸을 일으켰다. 어디로 가야 할지 막막했다. 그렇다고 카페에서 언제까지 뭉갤 수는 없었다. 카페에 대한 예의가 아니었다. 카페는 커피와 커피 향을 위한 공간이다. 좋은 카페의 공기는 시시콜콜한 잡담이 아니라 커피 향을 머금고 있다. 그 공기 속으로 간혹 이른 봄의 빗소리 같은, 톡톡, 커피 내리는 소리가 스며든다. 커피 향에 몸과 영혼을 잠시 적시는 곳이 바로 카페다. 적당히 우울하고 적당히 평화롭고 적당히 고요한 곳에서는 잠시 머무는 것이 좋다. 무엇보다 의자가 그를 거부하고 있었다.

이 카페의 의자는 토넷 No. 14였다. 1859년에 처음 생산된 토넷 No. 14는 160년 가까이 판매되고 있는 불멸의 베스트셀러다. 이 녀석을 만든 미하일 토넷은 금형틀 안에 나무를 넣고 구부리는 획기적인 기술을 발명했다. 한마디로 산업 혁명기의 기념비적 작품인 것이다. 역사상 최초로 대량 생산된 녀석이기도 하다. 그러나 그가 이 녀석을 좋아하는 것은 역사적 기념비라서가 아니다. 녀석은 의자가 갖춰야 할 가장 단순한 것만을 가지고 있다. 더 이상 뺄 것 없는 단순한 미학이 마음에 들 뿐이다. 미니멀리즘에서는 제스퍼 모리슨의 에어 체어가 유명하지만 너무 들어내서 앙상한 느낌이랄까. 에어 체어 이전에 만든 플라이 체어가 그의 취향에는 한결 낫긴 하다. 그래도 역시 토넷 같은 완전성은 느껴지지 않는다. 토넷의 유일한 단점이라면 엉덩이가 배긴다는 정도? 물론 쿠션을 깔면 낫겠지만 그건 녀석의 단순성을 배신하는 행위라고 할 수 있다. 녀석에 대한 예의 역시 적당한 시간에 떠나 주는 것이다.

그는 옆 의자에 놓여 있던 코트를 집어 들었다. 그의 것인지 장

담할 수 없었지만 그의 테이블에 있는 것이니 그의 것이라고 짐작
해도 괜찮을 터였다. 습관처럼 코트 안주머니에서 지갑을 꺼내던
그는 자신의 어리석음에 잠시 당황했다. 자신의 기억, 그러니까
자신의 정체를 찾을 수 있는 모든 정보는 지갑에 있었다. 그걸 지
금까지 생각하지 못했던 것이다. 자신의 신분을 밝힐 수 있다면,
그러니까 돌아갈 곳이 정해진다면, 나머지 기억이야 천천히 찾아
도 괜찮았다. 집이라는 공간에 그의 기억을 되찾아 줄 가족도 있
을 테고, 그와 시간을 함께한 일기장이든 뭐든 기록이나 물건이 있
을 테니까.

3단 가죽 지갑이 손에 잡혔다. 오래 사용한 듯 길이 잘 든 가죽
이었다. 3단 지갑이라는 것도 꽤 만족스러웠다. 장지갑은 가방을
일상적으로 들고 다니는 남자가 아니고는 몸에 지닐 수가 없다.
2단 지갑은 윗주머니에 넣으면 옷태가 나지 않고, 바지 주머니에
넣으면 옷태가 나지 않을 뿐만 아니라 지갑의 형태까지 망가진다.

그는 급히 지갑을 열었다. 지갑 안은 토넷 No. 14만큼이나 단순
했다. 주민 등록증이나 운전 면허증은 물론 그 흔한 카드조차 없
었다. 든 것이라곤 빳빳한 5만 원권 몇 장뿐이었다. 허탈했다. 동
시에 그는 안도했다. 신분을 찾지 못한 것은 허탈했지만, 지갑 안
이 각종 영수증이나 명함 따위로 너저분하지 않은 것에 안도한 것
이다. 앉아 있는 공간이나 소지품의 상태나 그는 자신의 취향이
썩 마음에 들었다. 기억을 찾지 못하는 것은 물론 두려웠다. 그러
나 사라진 기억 속의 자신이 허접쓰레기 같은 취향을 가졌을지도

모른다는 것은 두려움을 넘어선 공포였다.

그는 약간의 두려움에 떨면서 코트의 양쪽 주머니를 뒤졌다. 손 안에 쏙 들어온 것은 아이폰 7이었다. 이건 약간 의외였다. 아이폰 이라는 것을 확인한 순간 아이폰을 가짐으로써 자신이 특별해졌 다고 생각하는 사람들에 대한 약간의 거부감이 들었기 때문이다. 게다가 지금까지 밝혀낸 자신의 취향이라면 아이폰은 아닐 것 같 았다. 단순하고 튀지 않는 것을 좋아하는 성향의 소유자가 아이폰 이라니. 어쩌면 사진 찍기를 좋아하는 사람일 수도 있긴 했다. 사 진이라면 역시 아이폰이었다. 이런 앱등이애플 제품만 선호하는 사람을 일컫는 조어 같은 발언이라니!

이래서 아이폰을 쓰는 건가 의심하면서 그는 즐겨찾기를 검색 했다. 어떤 번호도 기록되어 있지 않았다. 연락처를 다시 검색했 다. 단 하나의 번호조차 저장되어 있지 않았다. 뭔가 이상했다. 그 의 손길이 빨라졌다. 하다못해 대출이나 대리 운전 같은 스팸 문 자조차 없이 깨끗했다. 카톡 또한 마찬가지였다. 등록한 친구가 없는 것은 물론 주고받은 대화의 기록도 남아 있지 않았다. 프로 필 사진으로 자신의 사진 대신 블랙의 루이 고스트 체어 사진이 올 라 있을 뿐이었다. 아무리 깔끔한 성격이라고 해도 지갑과 휴대폰 에서 단 하나의 정보조차 찾을 수 없다는 건 자연스럽지 않았다. 기억을 잃기 직전 스스로 모든 기록을 지웠거나 누군가 의도적으 로 지웠다고밖에는 생각할 수 없었다. 도대체 왜? 도대체 누가?

그는 여기에라도 제발 단서가 있기를 바라는 간절한 마음으로 트위터를 열었다. 첫 계정은 프로필 사진조차 채워 넣지 않은 알 계였다. 타임 라인에도 자신의 정보는 담겨 있지 않았다. 다른 트위터에서 알티RT해 온 글과 음식 사진 몇 개가 전부였다. 이른바 구독계였다. 다음 계정으로 전환했다. 조명에 관한 알티라는 것 외에 마찬가지였다. 총 네 개의 트위터 계정이 비슷했다. 각 트위터마다 음식, 의자, 조명, 여행에 관한 남의 글과 사진들이 가득 차 있었다. 기억을 잃은 그가 떠올렸던 커피와 의자에 관한 정보의 출처가 트위터였던 것이다. 자신의 신분을 여전히 모르는 채였지만 자신의 전부를 알게된 느낌이었다.

그는 여행에 관해 기억을 잃기 전의 그가 남긴 알티들을 훑어보면서 곰곰 생각에 잠겼다. 이름이 뭔지 어디 사는지 가족이 누군지 어떤 학교를 나왔는지, 그에겐 그다지 중요하지 않았다. 그래도 알아내긴 해야 했다. 자신의 신분을 찾지 않고는 오늘 밤 당장 가야 할 곳이 없었고, 학력이나 경력을 알지 못하고는 돈 벌 방도가 막막했다.

그는 외투를 입고 카운터로 다가갔다. 청년이 점점 더 신경을 긁기 시작한 하얀 이를 드러내며 환히 웃었다. 그는 5만 원권 한 장을 내밀었다.

"제가 여기 온 게 몇 시쯤이었죠?"

"한 시간 전쯤이요. 보통 한 시간 이상 계시지 않으시잖아요?"

그는 거스름돈을 받으며 다시 물었다.

"제가…… 혼자 왔나요?"

누가 들어도 이상한 질문이었다. 치매 환자가 아니고는 물을 수 없는 질문이었다. 그러나 물어야 했다. 알아야 했다.

"네."

청년이 걱정스러운 눈길로 그를 한참 바라보았다. 그는 불쾌했다. 그러면 티 내지 않았을 것이다. 남의 아픔은 아는 척하는 게 아니다. 잘 아는 사이가 아닐 때는 모른 척해 주는 게 최고의 위안이다. 설령 친한 사이라고 해도 모르는 척해 주는 게 더 좋을 때가 많다. 그러나 지금은 타인의 싸구려 걱정이라도 붙잡아야 했다. 그는 불쾌함을 감추고 공손하게 다시 물었다.

"여기서 제일 가까운 경찰서가 어딘가요?"

그는 기억을 잃었다는 명백한 고백을 하는 게 죽기보다 싫었다. 아마 그는 자존심이 꽤 강한 사람이었던 모양이다. 다행히 청년은 더 이상 묻지 않고 친절하게 대답했다.

"종로 경찰서인가? 그건 잘 모르겠고 파출소라도 괜찮다면 서운 파출소가 가깝죠. 걸어가셔도 돼요."

답변은 친절했지만 청년의 얼굴에서 웃음이 사라졌다. 자연스러운 척하기로 작정한 사람의 경직된 표정이 웃음을 대체했다.

"길은 아시죠? 조금 내려가서 우회전, 그리고 죽 직진하시면 돼요."

이 근처에 사는 사람일 거라고 추측했다는 조금 전과는 백팔십 도 다른 대답이었다. 그는 가벼운 목례를 남기고 거리로 나섰다.

거리는 익숙했다. 조금 전의 카페가 익숙했듯. 청년의 말대로

이 근처에 집이 있을 확률이 높았다. 수예품을 파는 공방, 뜨개질 가게가 연달아 나타났다. 수제 인형을 파는 가게도 있었다. 그는 가게들을 가볍게 스쳐 지났다. 마음이 급하기도 했지만 마음이 끌리지 않았다. 수예? 저런 걸 어디에 쓰지? 뜨개질? 요즘 기계가 얼마나 정교한데. 알파고의 시대에 고작 사람의 손을 믿다니. 인형? 차라리 고양이를 키우겠다. 이게 그의 즉각적인 반응이었다. 편의점을 지나치면서 그는 생각했다. 20세기 최고의 공간이지. 김혜자는 대한민국 청년들의 진정한 어머니야. 일용할 양식을 주시잖아. 이것이 기억을 잃은 그만의 생각인지 기억을 잃고서도 남아 있는, 그러니까 기억을 잃고도 관통되는 일관된 생각인지는 알 수 없었다. 특색 없이 브랜드를 파는 몇 개의 프랜차이즈 커피 전문점과 간판만 봐도 정통일 것 같은 평양냉면집을 지나치자 청년이 말한 파출소가 나타났다.

출입문 앞에서 그는 잠시 숨을 골랐다. 10여 분 걷긴 했지만 심장 박동이 늦춰지지 않는 걸 보니 예전의 그는 파출소라는 공간에 익숙하지 않은 인생을 살아온 모양이었다. 그는 심호흡을 하고 결연한 각오와 함께 문을 열었다. 대낮의 파출소는 다행히도 혹은 불행히도 아까의 카페보다 한가로웠다. 그 결과 세 명의 경찰이 동시에 그를 바라보았다. 제복을 입은 자들이 동시에 보내는 시선은 어쩔 수 없이 위압적이었다. 심장이 더 떨렸다. 돌아서고 싶은 마음이 굴뚝같았지만 그는 간신히 걸음을 옮겨 개중 똑똑해 보이는 경찰에게 다가갔다. 순한 인상을 선택할까 잠시 고민했지만,

불편함을 참는 것이 멍청함을 참는 것보다는 쉬웠다.

"무엇을 도와드릴까요?"

뜻밖에 경찰의 어조는 카페 청년만큼이나 다정하고 친절했다.

"뭘 분실하셨나요?"

분실과 상실은 무엇이 다를까 잠시 생각하다 그는 고개를 끄덕였다.

"뭘, 어디서 분실하셨죠?"

경찰이 뭔가를 찾으며 물었다. 분실물 접수 서류를 찾는 것일 터였다. 그러나 그의 기억은 그 서류에 분실 신고를 할 만한 게 아니었다.

"기억이요."

다른 일을 하던 나머지 경찰들까지 일제히 그를 쳐다보았다. 얼굴이 상기되는 게 느껴졌다. 어쩌면 아까 불편했던 건 제복의 시선이 아니라 그냥 낯선 자의 시선이었을지 몰랐다. 그는 기억의 유무와 상관없이 자신에 대해 속속들이 동의할 수 있을 것 같았다.

"젊은 사람이 대낮부터 이게 무슨……"

"정말입니다. 갑자기 아무것도 기억이 나지 않아요. 제 이름도요. 어디 살았는지도 모르겠어요. 제가 누군지 좀 찾아 주세요."

앞자리의 경찰이 그의 얼굴과 행색을 찬찬히 살폈다.

"실없는 장난칠 사람 같지는 않은데…… 그게 정말이요?"

"정말이라니까요?"

"지갑이나 휴대폰…… 뭐 그런 것도 없어요?"

그는 지갑과 휴대폰을 경찰에게 건넸다. 뒤져 보던 경찰이 아까의 그와 똑같이 낭패스러운 얼굴로 다시 그를 바라보았다.

"뭐가 이래? 지갑이야 그렇다 쳐도 휴대폰에 번호 하나 저장되어 있지 않다는 게 말이 됩니까?"

"그러니까 여기로 왔죠."

호기심을 느낀 다른 경찰들까지 그의 앞으로 모여들었다.

"자기 번호는 알 수 있잖아? 그 번호부터 조회해 보지?"

"아니죠. 지문 조회가 더 빠르죠. 확실하고. 자기 명의로 휴대폰을 개설했다는 보장도 없지 않습니까?"

자기들끼리 갑론을박하던 경찰들은 가장 어린 경찰의 말에 고개를 끄덕였다.

"일단 지문 조회부터 해 봅시다."

"설마 지문이 없어진 건 아니겠지? 뭐 그런 드라마들 많잖아."

우스갯소리를 꺼낸 경찰이 찔끔했는지 그의 눈치를 살폈다.

"아니, 이런 경우는 머리털 나고 처음이라…… 이런 건 드라마에서나 있는 일인 줄 알았지. 살다 보니 이런 일도 보네. 오래 살고볼 일이야. 아무튼 맘이 맘이 아닐 텐데 미안해요."

경찰의 마음을 백번 이해하고도 남았다. 그 역시 자신의 일만아니었다면 경찰과 똑같은 반응을 보였을 것이다.

"잠깐 소파에 가서 기다려요."

그러나 그는 경찰의 친절한 안내에 따를 수 없었다. 취향이고뭐고 오직 함부로 앉기 위해 만들어진, 싸다는 것 외에 아무 장점도 없는 인조 가죽 의자였다. 죽은 쥐색, 이라는 표현이 적합한 색상이었다. 원래는 그레이였겠지만 파출소에 드나드는 수많은 사람들의 분노와 좌절과 알코올이 스민 그 소파는 지금에 와서는 죽은 쥐색이라고밖에 달리 설명할 길이 없었다. 취객들이 주로 머물다 가는 자리인지 쉰 술 냄새가 역했다. 기억이고 뭐고 당장 이 자리를 벗어나고 싶은 마음이 굴뚝같았다.

잠시 뒤 경찰이 그를 불렀다. 어찐 일인지 당황한 기색이 역력했다.

"나왔습니까?"

"그게…… 없습니다. 없어요!"

지문이 등록되어 있지 않을 몇 가지 경우의 수가 떠올랐다. 대한민국에서 주민 등록증이 언제 발급되는지 생각했지만 알 수 없었다. 다른 많은 정보들을 기억하면서 주민 등록증 발급에 대한 정보가 없다는 건 한국 국적이 아닐 수도 있다는 의미였다. 경찰도 같은 생각을 한 모양이었다.

"생김새나 한국말 수준으로 봐서 외국인 노동자는 아닌 것 같고…… 저기, 영어로 말 좀 해 봐요!"

"네?"

"교포면 영어를 잘할 거 아닙니까?"

"재일 교포도 있는데요?"

"아 그렇긴 하지만 뭐니 뭐니 해도 교포는 미국 교포죠."

"익스큐즈 미. 웨어 아 유 프롬?"

곁에서 흥미롭게 지켜보던 젊은 경찰이 교과서에 나올 법한 영어로 그에게 말을 걸었다. 순진무구한 영어에 피식 웃음을 터뜨리며 그는 답을 하기 위해 입을 열었다. 그러나 아무 말도 나오지 않았다. 영어를 몰라서는 아니었다. 아임 프롬을 생략하고 나라만 말하려 했던 것인데 자신이 과연 아메리카에서 왔는지 잉글랜드에서 왔는지 뉴질랜드에서 왔는지 아무것도 떠오르지 않았던 것이다. 그가 쑥스러워한다고 생각한 것인지 젊은 경찰이 더 따박따박 물었다. 예의상 기억나지 않는다는 말이라도 해 줘야 할 것 같았다.

"아 돈 리콜 왓 랜드 아 켐 프롬 I don't recall what land I came from."

그의 정체를 밝혀내기라도 한 것처럼 경찰 셋이 동시에 박수를 쳤다.

"맞네. 미국 교포 맞아! 발음이 김 순경하고는 완전 차원이 다르구만."

그의 생각에도 그랬다. 지금 그가 한 영어는 영국 억양의 보스턴 사투리에 가까웠다. 미국 중에서도 동부 뉴욕 부근에 거주했을 가능성이 높았다. 중요한 사실을 밝혀내긴 했지만 더 큰 난관이 기다리고 있었다. 미국 국적이라면 여권 혹은 사회 보장 카드를 찾아내거나 두 가지의 고유 번호라도 스스로 기억해 내야 했다. 그것 외에 자신이 미국인임을 입증할 길이 없었다. 당혹스럽기는 경찰들도 마찬가지인 듯했다.

"그럼 그 뭐냐, 여권을 찾아야지, 여권을. 여권 없어요?"

"지금은 없어요. 집을 찾아내면 아마 거기 있겠죠."

집을 찾을 가능성은 이제 휴대폰 추적뿐이었다. 그러나 그 또한 성과가 없으리라는 불길한 예감이 들었다. 그가 갖고 있는 모든 소지품이 그의 정체를 밝히는 데 실패했다. 이유는 알 수 없지만 휴대폰 추적도 마찬가지일 것 같았다. 불길한 예감은 틀리는 법이 없다는 진실은 이번에도 어긋나지 않았다. 개통자가 62세의 부산 사는 남자였던 것이다. 게다가 그 남자는 최근 사망 신고된 상태였다. 62세의 송기갑이라는 남자가 자기 자신도 기억하지 못하는 그의 기억 속에 남아 있을 리 만무했다.

자신의 일처럼 최선을 다했던 친절한 경찰들은 그 이상으로 낙담한 듯했다. 사실 그는 낙담한 것은 아니었다. 그저 난감했을 뿐이었다. 그는 여전히 신분과 살아온 이력을 반드시 알아야 하는 것인지 고민하고 있었다.

"너무 걱정은 마세요. 통신사에 통화 기록을 조회하든가 복구 센터에 의뢰하고, 송기갑 씨 가족을 수소문하면 뭐라도 단서가 나올 겁니다. 개통한 지 1년 됐다니까 두 분이 서로 아는 사이일 수도 있어요. 그런데 당장 오늘은 어쩌지요? 본인 명의가 아니니 우리가 통화 조회를 의뢰한다 해도 최소 하루는 걸릴 텐데요. 어디 갈 데는 있습니까?"

김 순경이 걱정스러운 눈길로 물었다. 갈 데가 자기 집이나 친구 집만은 아니었다. 그보다 더 편한 게 천지에 널린 모텔이요, 호텔이었다. 모텔 정도라면 지금 가진 돈으로 며칠은 버틸 수 있었다. 그러나 모텔 같은 곳에 여자도 없이 혼자 묵고 싶지는 않았다. 그건 모텔의 존재 이유에도 어긋나는 일이었다. 여자가 그립지도 않았다. 기억을 잃었고 빠른 시간 안에 잃어버린 기억의 실마리를 찾을 가능성도 없어 보이는 지금, 가장 그리운 건 아늑한 침대였다. 면 80수 거위털 침구가 세팅된. 고작 두 시간 남짓 기억나는 하루가 길고 고단했다. 어쩌면 평소의 그는 조금 전 카페에서 걸어온 길을 지나 집으로 돌아갔을지 몰랐다. 그 길에 무슨 단서가 있는 건 아닐까? 그는 십 분 남짓 걸어온 길을 찬찬히 되짚다가 두 개의 감시 카메라를 발견했다. 그가 모르는 그의 시간을 간직하고 있을 감시 카메라였다. 그는 빠른 걸음으로 다시 파출소로 향했다.

그가 김 순경을 대동하고 간 곳은 경찰서를 지나 처음 나온 감시 카메라가 설치된 편의점이었다. 세 시간 전, 그러니까 1시 23분에 그는 지금과 똑같은 모습으로 편의점 앞을 지나고 있었다. 코트며 걸음걸이며 누가 봐도 그였다. 다음 티브이는 사거리 횡단보도 옆에 있었다. 김 순경이 기웃거리는 그의 옷자락을 잡아끌었다.

"일단 파출소로 가요."

"어디로 연락하면 볼 수 있는지 알아봐야죠."

"우리 파출소에서 다 볼 수 있어요. 아파트 내부만 자체적으로 관리하고 도로나 주택가 감시 카메라는 다 파출소에서 실시간으로 봐요."

역시 과학 기술의 힘은 위대했다. 인간이 편리를 추구하는 존재라는 점에서 그는 인간의 이러저러한 단점들을 용서할 수 있었다. 인간이 효율과 편리를 추구하지 않았다면 그가 좋아하는 토넷 No.14도 안캄의 팔레르모도 순면 80수의 실키한 감촉도 존재하지 않았을 것이다.

그는 감시 카메라 여기저기 출연했다. 기억을 상실할 줄 알고 일부러 흔적을 남기기라도 한 것 같았다. 불과 몇 시간 뒤에 벌어질 일을 상상조차 하지 못했을 걸음걸이에서는 적당한 긴장감과 여유가 느껴졌다. 허리를 꼿꼿이 세운 채 사람들과 1미터 이상 거리를 유지하는 건 습관인 듯했다. 적당한 긴장감은 그로 인한 것이었다. 적당한 보폭과 느린 속도는 자신에 대한 만족감과 여유에서 연유한 것일 거라고 그는 추측했다. 사람을 대하는 태도도 스스로에 대한 자족감도 마음에 들었다.

그의 흔적은 아파트 앞 2차선 도로 횡단보도에서 사라졌다. 1시 10분이었다. 그가 건너온 횡단보도 뒤로는 대형 아파트 단지가 있고, 좌회전해서 조금 올라가면 주택가였다. 그러나 12시까지 검색했지만 주택가 맨 첫 감시 카메라에 그의 모습은 나타나지 않았다.

그는 아파트 근처에 가면 혹 어떤 기억이라도 떠오르지 않을까 기대했다. 감시 카메라 속에서 자신이 건넜던 횡단보도 앞에 섰지만 막연히 익숙한 느낌뿐이었다. 아파트에 들어서도 마찬가지였다. 김 순경이 입회한 덕분에 다행히 곧장 감시 카메라를 확인할 수 있었다. 횡단보도를 건넌 그는 1시 7분, 아파트 진입 차량 감시 카메라에 나타났다. 그 뒤로 한동안 보이지 않았다. 감시 카메라는 각 동의 출입문마다 설치되어 있었고, 그는 아마 차도 건너편으로 걸은 모양이었다. 시간이 꽤 걸리는 작업이었는데도 관리 사무소 담당자는 짜증 내지 않고 시간대에 맞춰 각 동의 출입구 감시 카메라를 일일이 다 확인했다. 기억을 잃었다는 구구절절한 설명을 하긴 했지만 그가 다 미안할 지경이었다. 그는 흘깃 담당자의 카키색 유니폼 상의에 적힌 이름표를 확인했다. 감시 카메라 덕분에 정말 집을 찾게 된다면 마음의 선물이라도 해야 할 것 같았다. 누군가 엘이디 등을 켰다. 셋 다 화면에 집중하느라 어둠이 내리는 것도 느끼지 못했다. 몇 시간 동안 화면에 집중한 탓에 눈이 시렸다. 계속 깜빡이지 않으면 눈을 뜨고 있기가 힘들 정도였다. 인공 눈물이 필요했다. 그러나 주머니에 휴대폰과 지갑 외에는 아무것도 들어 있지 않았다. 그는 눈 밑을 있는 힘껏 눌렀다. 찍, 쥐어짜기라도 한 듯 눈물이 솟았다.

"여기 있다! 211동이네!"

눈물로 앞이 번져 보이는 와중에도 그의 모습이 명확히 보였다. 화면 속의 그는 뒷걸음쳐 엘리베이터 안으로 들어갔다. 엘리베이터는 7층에서 멈췄다. 거기까지 확인한 그는 벌떡 자리에서 일어났다. 담당자가 수화기를 들며 그의 허리춤을 잡았다.

"기다려요. 발품 팔 게 뭐 있어요? 인터폰으로 알아보면 되지."

먼저 인터폰을 누른 701호는 응답이 없었다. 702호는 세 번 신호음이 울린 뒤 젊은 남자가 인터폰을 받았다.

"여기 관리실입니다. 같이 사는 동거인이 있는지 물어도 되겠습니까? 기억을 잃으신 분이 있는데 혹 그 댁에 사는 분이 아닌가 싶어서요."

"누나랑 둘이 삽니다. 여기 아니에요."

젊은 남자는 냉정하게 인터폰을 끊었다. 701호의 부재한 주인이 바로 그였다. 그는 80수 순면 거위털 침구의 감촉을 떠올리며 걸음을 옮겼다.

이번에는 김 순경이 그의 발길을 막았다.

"701호가 자가인지 전세인지 좀 알 수 있을까요? 그래야 이분 신원을 확인할 수 있어서요."

담당자가 컴퓨터에 새 파일을 띄웠다.

"자가 소유네요. 근데 소유주가 이분은 아닌데요. 연세가 있으세요. 여자구요. 53년생 송경자 씨가 소유주네요."

김 순경이 의미심장한 눈빛으로 그를 바라보았다. 말없이도 시선의 의미를 이해할 수 있었다. 핸드폰 개통자와 비슷한 연배에 성도 비슷하니 뭔가 연관성이 있을 거라 생각한 모양이었다. 그 또한 같은 생각이 었다. 그러나 그는 더 이상 아무것도 궁금하지 않았다. 자기 집이라는 701호에서 쉬고 싶을 따름이었다. 자신이 누구든 상관없었다.

"일단 오늘은 쉬면 안 될까요? 너무 긴 하루여서…… 나머지는 내일 찾아뵐게요."

김 순경이 이해한다는 듯 고개를 끄덕였다. 그는 정중한 인사를 남기고 돌아섰다.

"701호! 기다려요."

집을 찾은 그에게는 최소한 701호라는 호칭이 생겼다. 그 호칭을 찾아 준 사람이 그를 불렀다. 별 수 없이 그는 멈춰 섰다. 주지도 받지도 않는 게 최선이지만 받은 이상 갚아야 했다. 오늘 오전까지의 그도 그러했을 터였다.

"비밀번호는 기억납니까?"

넘어도 넘어도 새로운 관문이 앞을 막아서는 꼴이었다.

"기다려요. 같이 갑시다."

감시 카메라 담당자가 앞장서자 다른 직원 하나가 뒤따랐다. 자기 집을 가는 길인데 그는 남의 뒤를 따를 수밖에 없었다. 길은 익숙했지만 211동 가는 길은 기억나지 않았다. 출입문으로 들어섰다. 감시 카메라가 두 남자의 뒤를 따르는 그의 모습을 찍고 있을 터였다. 감시 카메라 사각지대는 20여 미터, 그는 자신이 감시 카메라를 의식하고 있음을 깨달았다. 엘리베이터 안에서 그는 7층 버튼을 누른 뒤 맨 앞에 섰다. 그리고 고개를 숙였다. 감시 카메라가 없었다면 집을 찾을 수 없었겠지만 집을 찾은 지금까지 감시 카메라에 노출되고 싶지는 않았다.

직원들은 도어 록의 비밀번호를 쉽게 해제했고 덕분에 그는 자신의 집이라는 곳에 마침내 입성할 수 있었다. 그들의 친절이 그는 진심으로 고마웠다. 동시에 내일부터가 염려스러웠다. 그들은 그의 삶에 개입했고, 최선의 친절을 베풀었다. 그래서 아는 사이가 되었다. 적당히 아는 사이에서 지켜야 할 예의들이 당장 내

일부터 그의 자유를 구속할 터였다. 그는 예전의 자신이 진정성이라는 말에 알레르기가 있을 거라 추측했다. 어떤 종류든 진정성은 사람을 구속한다. 가구나 커피는 사람을 구속하지 않는다. 고로 가구나 커피가 더 좋다. 이게 기억을 잃기 전부터 기억을 잃은 지금까지 연속되는 그의 동일성일 거라고 그는 확신했다.

그는 그들의 친절에 응하는 최선의 인사를 하고 자신의 집이라는 곳에 발을 디뎠다. 흔한 센서 등이 가장 먼저 그를 맞을 거라는 예측은 기분 좋게 빗나갔다. 현관 천장을 보기도 전에 그는 로스 러브그로브가 디자인한 코스믹 리프 세레이즈의 엘이디 등이라는 것을 알아차렸다.

애플의 맥과 소니의 워크맨 디자이너로 유명한 러브그로브는 주로 자연에서 영감을 받아 캡틴 오가닉이라는 별명으로 널리 알려졌다. 리프 세레이지 등은 빛이 잎사귀 모양을 타고 흘러나와 자연스러운 음영을 만든다. 디자인은 그의 취향에 다소 과했지만 빛의 흐름과 음영은 캡틴 오가닉이라는 별명에 걸맞게 자연의 빛 그 자체인 듯 자연스러웠다.

거실 등을 켜지 않아도 거실의 전경이 부드러운 어둠 속에 제 모습을 드러냈다. 침실과 맞닿은 거실 벽면에 놓인 것은 패브릭 소파 중 명품으로 유명한 2인용 그레이 이토고 소파였다. 지금의 그가 알지 못하는 오늘 낮까지의 그의 취향은 역시 그와 똑같았다. 최소한의 것만을 남겨 둔 미니멀리즘. 그의 것이었다는 이 공간은 채워진 곳보다 빈 곳이 더 많았다. 빈 곳이 있어 비로소 사물들이

제 존재감을 드러낸다는 생각을 하며 그는 쓰러지듯 이토고 소파에 몸을 던졌다. 소파가 조심스럽게 그의 몸을 받아들였다. 더 바랄 게 없이 편안했다. 이 순간 그가 가장 잊고 싶은 것은 자신이 기억을 잃었다는 사실이었다. 그 외에는 아무런 문제가 없었다. 사실은 그게 왜 문제인지가 더 큰 문제인 것 같기도 했다.

소파에 누운 채 그는 맞은편의 주방을 바라보았다. 필립 스탁이 디자인한 찰스 고스트의 크리스털 모델 스몰 사이즈 스툴이 희미한 그림자인 듯 모습을 드러냈다. 세계 최초의 투명 의자 라 마리를 디자인한 필립 스탁은 부자를 위해 2억 달러짜리 요트를 디자인하지만 가난한 사람도 살 수 있는 2달러짜리 우유병도 디자인한다는 명언을 남겼다. 취향이란 그런 것이다. 취향은 돈이 결정하지 않는다. 사람의 품격이 취향을 결정한다. 아니, 전제와 결론이 바뀌는 편이 더 진실에 가깝다. 취향이 사람의 품격을 결정한다. 취향이 곧 사람의 본질인 것이다. 기억은 사라져도 취향은 사라지지 않는다. 그는 그렇게 믿었다. 그게 그였다. 이토고 소파가 잠을 불렀다. 그는 자신이 누구인지도 모르는 채 편안한 잠 속으로 빠져들었다. 혼란스럽고 고단한 하루였다. 그는 여전히 자신이 누구인지 알지 못했다. 자신이 누구인지 몰라도 상관없었다. 이 집의 공간을 채운 것들이 곧 그였다.

박상영

2016년 문학동네신인상에 당선되어 작품 활동을 시작했다.
소설집『알려지지 않은 예술가의 눈물과 자이툰 파스타』,
연작 소설『대도시의 사랑법』,『믿음에 대하여』, 장편 소설『1차원이 되고 싶어』,
에세이『오늘 밤은 굶고 자야지』,『순도 100퍼센트의 휴식』등이 있다.
젊은작가상 대상, 허균문학작가상, 신동엽문학상을 수상했다.

요즘 애들

카메라가 꺼졌다.

황은채가 오케이 사인을 보내기 무섭게 남 선배가 자리에서 일어나 기지개를 켰다. 회사 안에서 청바지가 아니라 그럴듯한 정장을 차려입은 남 선배의 모습은 여전히 낯설었다. 남 선배가 내 시선을 눈치채고는 웃으며 말했다.

"야, 넌 어째 유튜브랑 잘 맞는 것 같다? 대본 없으니까 더 잘하네."

그럼 대본이 있는 프로그램에서는 어떻다는 거지, 하는 생각이 들었으나 나는 특유의 작위적인 미소를 지으며, 선배랑 함께 유튜브 프로그램 하나 맡아야 할 것 같다고 너스레를 떨었다. 내 말에 황은채가 웃으며 말했다.

"김 기자님, 실없는 소리 하는 버릇은 여전하네요."

눈치 빠른 남 선배가 은근히 하대를 하며 끼어들었다.

"황 피디랑 김 기자랑 어떻게 아는 사이라고 했지?"

황은채가 어물쩍대자 내가 잽싸게 답했다.

"언론사 시험 칠 때 같은 스터디 그룹이었어요."

"그렇구나, 소중한 인연이네. 대단히 잘됐네. 둘 다 잘돼서 만났으니 정말 잘됐네."

남 선배 특유의, 같은 어미를 끊임없이 반복하는 리액션이었다. 나로서는 단순히 어휘력이 모자란 사람처럼만 느껴지는데 방송에서는 저런 화법이 꽤 잘 먹혔다. 오디오가 비지 않아서 그런가.

비지 않는 오디오.

그것은 남 선배가 신입 기자 오리엔테이션을 진행하며 가장 먼저 강조한 덕목이기도 했다.

"오 초 이상 오디오가 비잖아? 그건 방송 사고야."

그의 말을 대단한 격언이라도 되는 것처럼 받아 적던 때도 있었다. 그게 마치 지난 생의 일처럼 까마득했다.

"저는 화장실이 급해서 먼저 가 보겠습니다. 대표님께 안부 전해 주고요."

대지 않아도 될 평계까지 덧붙이고는 황은채에게 구십 도로 고개를 숙여 깍듯이 인사를 하는 남 선배. 은근슬쩍 말을 놓을 때는 언제고 저러는 걸 보면 확실히 사회생활 십오 년 짬밥을 거저먹은 건 아니었다. 아나운서 실장인 남 선배는 스스로를 유능한 사회인이라고 여기는 사람이었고 실제로 그 판단은 상당 부분 옳았다. 내가 기억하기로 남 선배는 신입 때부터 지금까지 쭉 회사의 간판이었으며, 심지어는 지난 몇 년간 지리멸렬하게 이어졌던 언론 노조 파업 때조차 노조의 대표 얼굴이었다. 어느 집단에 속해 있든 항상 무리의 중심인 사람. 집단의 이익과 스스로의 정체성을 일치시킬 줄 아는 사람. 나는 그런 부류의 인간들을 항상 동경하는 동시에 의아하게 생각해 왔다.

황은채는 문밖까지 선배를 배웅한 뒤 다시 회의실로 돌아왔다. 그리고 웃음을 터뜨리며 말했다.

"스터디에서 만났다고? 언제 그렇게 순발력이 늘었대?"

"말도 마. 눈칫밥 삼 년에 거짓말만 청산유수다. 기자 똥은 개도 안 먹는다더니 그동안 는 건 맘고생이랑 구라밖에 없어."

"하긴 솔직하게 다 말하기도 좀 그렇긴 해. 구질구질하기도 하고."

그제야 나는 우리의 과거가 솔직하게 말하기 조금 그렇고 구질구질해져 버린 무언가가 되었다는 것을 깨달았다. 한때는 우리가 함께 일하고 있다는 사실이, 그 공간이 우리의 자랑이었던 적도 있었는데, 이제는 더 이상 그렇지 않다는 게 못내 어색하게 느껴졌다. 황은채가 말했다.

"시간 되면 오랜만에 커피나 한잔할래?"

"좋지."

황은채가 책상 위에 올려놓았던 검은 백팩을 맸다. 목선이 훤히 드러날 만큼 짧게 자른 그녀의 단발이 좌우로 흔들렸다. 통이 넓은 청바지와 오버사이즈 항공 점퍼가 썩 잘 어울렸다. 예전에는 단정하지만 불편해 보이는 투피스를 고수했던 그녀였다. 내가 알던 이십 대의 황은채와는 여러모로 다른 사람처럼 느껴졌다.

고백하자면 연락을 받기 전까지 나는 황은채에 대해 단 한 번도 떠올리지 않았다.

며칠 전 유튜브 섭외 요청, 이라는 제목의 메일을 보았을 때 한숨부터 나왔다. 최근 원치 않게 여론의 집중을 받게 된 이후로 부쩍 수상한 섭외가 늘었기 때문이었다. 경영진 교체 후 화려하게 현업으로 복귀한 남 선배와 노조 파업 때 임시로 채용된 비정규직 사원 중 유일하게 정규직으로 전환된 내가 얼마 전 여덟 시 뉴스의 앵커로 나란히 기용되는 대사건이 일어났다. 애초에 신입 기자가 메인 뉴스의 앵커로 선발되는 경우가 드문 데다가 남 선배와 함께한다는 사실이 불필요한 관심을 불러일으켰다. 여느 때처럼 영양가 없는 채널에서 간 보기 식으로 돌린 연락이겠거니 하고 무심히 넘기려 했는데 메일을 보낸 사람의 이름이 낯익었다. 다시 보니 내 첫 번째 직장의 유일한 입사 동기였던 황은채였다. 그녀가 꼬박 오 년 만에 내게 연락한 것이었다.

황은채는 내가 다니는 B방송국을 거느린 미디어 그룹의 협력 회사에서 근무하고 있었다. 주로 유튜브나 팟캐스트 등의 프로그램을 제작하는 뉴미디어 계열의 신생 프로덕션이었는데, 파업 때 퇴사한 전 교양국 국장이 차린 사업체라 우리 회사와 관련된 콘텐츠를 자주 제작했다.

메일의 내용은 여느 프로그램의 섭외 요청과 다르지 않았다. 신입 공채 시즌을 맞아 신입과 부장급 직원이 출연해 자소서를 쓰는 방법과 미디어 기업에 입사하는 꿀팁을 들려주는 기획이었다. 관심도 높은 취업 콘텐츠에 최근 인기몰이를 하고 있는 신구 간의 세대차를 예능적으로 녹이는 콘셉트는 새로울 건 없었으나 누구보다 지독하게 살아왔던 나의 무언가를 건드렸다.

섭외 메일을 받은 지 십 분이 채 지나지도 않아 남 선배에게서 전화가 왔다. 그는 언제나처럼 질문의 외피를 입고 있으나 명령에 가까운 어조로 말했다.

"나는 이 기획 괜찮은데? 과도하게 정치적으로 해석될 여지도 없고. 김 기자는 어떻게 생각해?"

정치적으로 해석될 여지가 없다니, 설마요. 유튜브 콘텐츠에 우리 둘의 얼굴이 함께 잡히는 것만으로도 몹시 정치적인 의미를 가진다는 걸 선배도 나도 모르지 않았다. 하지만 다른 모든 것을 떠나 섭외에 응하게 된 것은, 단지 황은채가 보고 싶어서였다.

황은채가 데리고 온 한 앳된 후배 사원이 박스에 마이크 송신기와 조명, 트라이포드를 담아 들었다. 그리고 누가 봐도 채근하는 듯한 말투로 물었다.

"선배님, 저 회사로 복귀하나요?"

황은채는 후배 사원에게 곧장 집으로 가되 내일 일찍 출근해 사무실에 장비를 들여다 놓으라고 답했다. 후배 사원은 고개를 꾸벅 숙이더니 뒤도 돌아보지 않고 회의실 밖으로 나갔다.

"저분 되게 개성이 강하신 것 같다?"

"말도 마. 요즘 애들 아주 칼같지?"

정작 입 밖으로 그 단어를 꺼낸 황은채가 눈을 동그랗게 뜨며 놀랐다. 그러더니 내 팔을 때리면서 웃기 시작했다. 황은채의 입에서 요즘 애들, 이라는 단어가 나오다니. 그것은 그 옛날 우리가 함께 들었던 멸칭이었다. 그래도 웃을 때 옆 사람을 때리는 습관이며 매운 손맛은 여전하다고 생각하며 나는 과장되게 팔을 문질렀다. 그리고 황은채에게 말했다.

"그나저나 네가 선배라니, 너무 어색하다."

"선배인 정도가 아니라 심지어 우리 회사에서는 위에서 몇 번째다? 우리 벌써 이런 나이가 됐다."

"무슨 소리야, 난 아직도 신입 사원인데."

황은채는 잠시 침묵하다 이내 내 말뜻을 깨닫고 웃음을 터뜨렸다. 나는 빙긋 웃어 보이고는 황은채와 함께 회의실을 나섰다.

✳

나에게 '매거진 C'가 영세한 문화 잡지 이상의 의미를 가지는 것은 영원히 돌이킬 수 없는 내 인생 첫 번째 직장이기 때문일 것이다.

내가 잡지사에 들어가게 된 건 순전히 우연이었다. 대학 마지막 학기에 수업 몇 개를 함께 들어 꽤 친분이 있었던 한 선배에게서 갑작스레 연락이 왔다. 막 신입 기자가 된 그는 (기자 특유의 별로 중요하지도 않은데 심각한 목소리 톤으로) 한 잡지사에 에디터 자리가 났다고 했다. 잡지의 이름은 매거진 C. 나도 아는 잡지였다. 규모는 크지 않지만 인터뷰 지면이 훌륭해 잡지 업계나 문화계에서 꽤 단단한 입지를 굳히고 있었다. 갑작스러운 제의에 당황한 내게 그가 마침표를 찍듯 말했다.

"내가 왜 너한테 전화했겠냐. 너 잘하잖아."

예나 지금이나 칭찬을 들으면 일단 그 이상을 보여 줘야 한다는 강박에 시달리는 나는 서둘러 그간 학보사에서 썼던 기사며 산문을 추려 포트폴리오를 만들었다.

크리스마스이브, 눈이 펑펑 내리던 신사동 가로수길에서 눈보다 더 많은 사람들이 나를 밀치고 가는 것을 느끼며, 간신히 매거진 C의 건물을 찾았다. 안면 윤곽 전문 성형외과와 보톡스 전문 피부과 건물 사이에 함정처럼 위치해 있는, 도무지 강남 한복판이라고는 믿을 수 없을 만큼 낡은 4층짜리 건물이었다. 1층 상가에는 간판에 먼지가 잔뜩 낀 천 냥 백화점이 있었고, 그 옆으로 돌아가니 온갖 박스가 쌓여 있는 계단이 나왔다. 나는 박스를 요리조리 피해 가며 2층, 매거진 C의 사무실로 들어갔다. 면접장이랍시고 마련된 곳도 뭐 그럴듯한 공간이 아니라, 덩치 큰 책장 뒤로 10인용 테이블이 덩그러니 놓인 곳이었다. 책장에는 매거진 C 과월호들이 차곡차곡 꽂혀 있었다. 나를 제외하고 열댓 명의 면접 대기자들이 더 있었는데 다들 왠지 힙하고, 세련되고, 그러니까 잡지사를 위해 준비된 완벽한 인재들 같았다. 나는 자포자기하는 심정이 되어 오히려 긴장이 풀어졌다.

　면접은 평이했던 것으로 기억한다. 면접관들은 거의 다 여성이었는데 편집장만 중년 남자였다. 여자 면접관들이 포트폴리오 중 몇몇 글의 디테일에 관해 물었고, 매거진 C에서 인상 깊게 본 기사가 무엇인지, 언제부터 출근이 가능한지 같은 질문들이 이어졌다. 면접 내내 말이 없던 편집장이 면접 말미에 궁금한 것이 없냐고 했다. 나는 수습 기간이 얼마나 되냐고 했고, 그는 의중을 알 수 없는 미묘한 표정으로 "삼 개월 정도"라고 짧게 답했다. 사무실이 너무 추워 면접을 보는 내내 무릎을 쓰다듬었던 기억이 있다. 막상 이틀 뒤, 그러니까 크리스마스 다음 날부터 바로 출근하라는 연락을 받았을 때 뭔가 꺼림칙한 기분을 느끼기는 했다. 그때 내 감을 믿었어야 했다.

　12월 26일, 출근하자마자 나를 가장 먼저 반긴 것은 동기인 황은채였다. 그녀는 서울 소재의 A여대 국문과를 졸업한 후 인터넷 신문사에서 인턴 기자로 일했으며, 그 경력을 바탕으로 나와 같은 피처 에디터로 들어오게 됐다. 우리는 동갑이라는 이유로 말을 놓기로 했다. 그때 우리 앞으로 허리까지 오는 긴 생머리에 키가 큰 한 여자가 다가왔다. 마치 사극에 나올 것처럼 반듯하게 정중앙 가르마를 탄 그녀는 날카로운 눈매에 창백한 피부였으나 목소리만큼은 아기처럼 앳된 비음이었다. 그럼에도 그 말투에 안정성이랄까, 사회생활 9단 특유의 냉정한 어조가 깃들어 있어 나이나 연차를 짐작게 했다. 그녀가 피처팀의 수석 기자이며 우리를 가르칠 배서정이라고 자신을 소개했다.

배서정은 우리를 이틀 전 면접 자리였던 책장 뒤 10인용 테이블로 데려갔다. 테이블 옆에는 박스가 한가득 쌓여 있었다. 배서정은 나와 황은채에게 첫 번째 업무를 배당해 주었다. 카페와 정기 구독자들에게 잡지를 발송하는 작업이었다. 방법은 간단했다. 매거진 C의 규격 봉투에 잡지를 넣고 주소 라벨을 붙여서 박스에 집어넣으면 되는 것이었다. 카페나 대학 등지에는 홍보를 위해 무료로 배포된다고 했다. 대외적으로는 매달 이만 부의 발행 부수를 자랑하는 매거진 C였으나, 실상 판매는 그만큼이 아닐지도 모르겠다는 생각이 들었다. 온종일 지루한 단순 작업을 하는 동안 황은채와 나는 서로의 삶을 공유했다. 경상도 출신인 그녀는 다소 새침해 보이는 첫인상과는 달리 사투리가 묻어나는 시원시원한 말투를 구사했고, 성격도 화끈한 것 같았다. 음악이며 영화 취향도 비슷해 우리는 순식간에 가까워졌다. 우리는 그렇게 속닥속닥 수다를 떨며 당시 힙합 오디션 프로그램에 출연해 큰 인기를 끌고 있던 가수의 얼굴을 삼백 개쯤 봉투에 집어넣었다. 아차 하는 사이 내가 종이에 손가락을 베여 버렸다. 황은채는 괜찮냐며 호들갑을 떨었고, 배서정이 철썩철썩 슬리퍼 소리를 내며 다가왔다.

"너네 뭐가 그렇게도 즐겁니."

그녀는 특유의 말투로 우리에게 물은 뒤 내 손가락을 빤히 보더니 아무 반응 없이 다시 돌아섰다. 나는 피가 나는 손가락을 입에

문 채, 가뜩이나 가르마를 반듯하게 탄 머리를 과도하게 올려 묶어 배서정의 성격이 더 사나워 보인다는 생각을 했다. 피맛은 비렸다.

황은채와 나에게 다음으로 배당된 업무는 커피가 떨어지지 않게 아침부터 저녁까지 드립 커피를 내리는 것과, 사무실에 놓인 커다란 고무나무에 물을 주는 것이었다. 아침에는 회사에서 집이 가까운 황은채가 커피를 내리고, 점심에는 밥을 빨리 먹는 내가 커피를 내리는 것으로 어렵지 않게 합의를 보았다. 고무나무는 비교적 화분과 자리가 가까운 내가 물을 주기로 했다.

업무를 시작하고 난 후 일주일 동안 우리는 커다란 책장에 백 권도 넘게 꽂힌 매거진 C의 과월호를 보며 잡지의 구성이나 정체성에 대해서 스터디했다. 사수인 배서정이 시시때때로 기사마다 '야마'가 되는 내용을 정리해 오라고 했다. 흥미로운 인터뷰가 많았고, 순수 예술부터 대중문화까지 문화계 전반을 골고루 다루고 있다는 점이 마음에 꼭 들었다. 잡지를 읽으며 나는 부푼 꿈에 사로잡혔다. 언젠가, 그러니까 삼 개월의 수습 기간이 끝나고 머지않아 이런 유명인들을 만나 볼 수도 있겠구나 하는 설렘이 차올랐다.

며칠 뒤 첫 기획 회의가 열렸다. 기획 회의 자리에는 수석 기자

세 명과 편집장, 인턴인 황은채와 내가 모였다. 말이 좋아 기획 회의이지 실은 황은채와 내가 각자의 기획안을 발표한 뒤 일방적으로 평가받고 혼나는 자리였다. 한차례 구조 조정이 들어간 뒤 편집부의 인원이 반토막 났다고 했다.

첫 기획 회의가 끝난 후 나와 황은채는 각자 몫의 고민을 안게 되었는데 일단 우리 둘이 발표한 기획안이 하나도 통과되지 않았다. 선배들은 알짜배기 기삿거리를 쏙쏙 가져가 버렸고 우리에게 배당된 일은 광고주들이 배포한 보도 자료를 앵무새처럼 받아 적는 홍보용 기사 작성이나, 마감이 늦기로 악명 높은 정신과 전문의가 필자인 상담 코너의 원고 수발, 거리를 쏘다니며 진행하는 앙케트와 미니 인터뷰 정도였다. 게다가 원래 막내들의 담당이라며 회사의 공식 사이트와 SNS 계정을 담당하는 역할까지 부여받았다. 황은채가 공식 사이트의 독자 게시판, 이벤트 페이지 등을 관리하게 되었고 나에게는 트위터 계정을 관리하며 매일 오후 두 시에 기사를 업로드하는 역할이 주어졌다. 황은채와 나는 사회 초년생 특유의 과열된 열정으로 모든 일에 힘을 잔뜩 준 채 최선을 다해 일했다. 황은채는 독자 게시판에 올라온 흔하디흔한 이야기들을 마르고 닳도록 읽으며 최적의 사연을 고르기 위해 고심했으며, 나는 사진 기자를 대동한 채 압구정동과 신사동 일대를 누비며 인터뷰 감이 될 만한 사람들을 찾아 나섰다. 사무실 안은 히터를 틀어도 입김이 나올 만큼 추워서 나는 인터넷으로 만 원짜리 중국산 난로를 주문해 발치에 틀어 놓았다. 난로는 오래 켜 놓으면 너무 뜨겁고 또 끄면 금방 발이 시려 수시로 켜고 끄기를 반복해야만 했다. 우리의 사수였던 배서정은 긴 머리칼을 집게 핀으로 올려 묶고, 검지로 안경을 추켜올리며 특유의 날카로운 눈매로 우리를 관찰할 따름이었다.

어느 날은 화장실의 수도관이 완전히 얼어 버렸다. 편집장은 나에게 변기를 뚫으라고 명했고, 나는 언 손을 비비며 한나절 동안 계속해서 변기에 뜨거운 물을 부어 댔지만 꽁꽁 언 배관 때문에 물이 내려가지 않았다. 빨갛게 코가 언 채로 총무팀에 이 사실을 알렸다. 출장 수리 기사를 부르면 삼십만 원이 넘는 돈이 든다고 했다. 편집장은 이 사실을 전해 듣고는 한숨을 내쉬었다. 그리고 내게 '사용 금지'라는 안내문을 인쇄해 화장실 앞에 붙이라고 했다. 그럼 도대체 사무실 사람들이 어떻게 용변을 해결하라는 건지 알 수 없었지만 나는 묻지 않고 그저 시키는 대로 화장실 앞에 안내문을 붙였다. 자리에 돌아오자 배서정이 자신의 모니터를 바라본 채로 내게 말했다.

"네가 뭘 잘못했는지 말해 봐."

순식간에 머리가 하얘졌다. 나는 아무런 대답도 하지 못하고 머뭇거렸다. 배서정이 평온한 목소리로 다시 물었다.

"지금 몇 시지?"

"네 시입니다."

"두 시간 전의 네가 뭘 했어야 하지?"

그제야 내 담당 업무인 트위터 업로드가 퍼뜩 떠올랐고 나는 반사적으로 고개를 숙이며 죄송하다고 말했다. 차갑게 언 손으로 부랴부랴 트위터에 기사를 업로드했다. 큰 잘못을 저질렀다는 생각에 손이 떨렸다. 진작에 말을 해 주었으면 좋았을 텐데. 온종일 변기를 고치기 위해 고군분투하는 내 모습을 가만히 보고만 있었던 배서정에게 왈칵 원망스러운 마음이 차올랐지만, 얼른 그 감정을 떨치려고 노력했다.

지금 나는 수습 신분이다. 즉 새로 일을 배우고 있는 중이다. 배서정 선배는 어디까지나 사수로서 나에게 (정시성을 지키는) 기자의 태도를 가르쳐 주고 있는 것이다. 오늘 같은 실수는 '정식 기자'에게는 허용되지 않는다. 그러니까 내 감정은 뒤로 밀어 놓자.

나는 핸드폰의 알람 앱을 열어 매일 한 시 오십오 분에 알람이 울리게 설정해 놓았다.

한파가 끝날 때까지 보름 동안, 사무실 사람들은 옆 건물 성형외과에 있는 화장실을 이용해야만 했다. 혼자 낯선 병원의 화장실에 갈 만큼 낯짝이 두껍지는 않았던지라, 황은채와 나는 언제나 시간을 맞춰 함께 성형외과로 향했다. 우리는 마치 그곳이 내 집 앞마당이라도 되는 것처럼 조잘대며 얼굴에 붕대를 감고 있는 사람들 사이를 비집고 들어가 볼일을 봤다. 화장실에 갔다가 돌아올 때면 우리 꼴이 우스워 한참을 웃었다. 그렇게 웃고 난 뒤에는 알 수 없는 허탈감에 사로잡히고는 했다.

✳

인턴 기자로 참여한 첫 잡지가 나온 후, 우리가 쓴 기사에 대한 크리틱이 시작됐다. 황은채와 나는 어깨를 움츠린 채 커다란 테이블에 앉았다. 편집장과 선배들은 저마다 우리 기사에 대해 할 말이 많아 보였다. 국문과 문예 창작 동아리 출신인 황은채는 문장력과 글쓰기의 기본기가 부족하다는 평을 받았다. 황은채는 자존심이 상했는지 아니면 단순히 추웠던 건지 볼이 빨개진 채 연신 고개를 끄덕였다. 배서정은 내 미니 인터뷰를 보고는 과월호를 던져 주며 어떤 방식으로 인터뷰이에게서 신선한 답변을 뽑아내야 하는지 분석해 보라고 말했다. 훑어보니 오늘 뭐 먹었어요, 인도 카레 좋아해요, 같은 하나 마나 한 질문만 가득했고 특별할 게 없어 보였다. 그 기사에서 무엇을 분석하고 배워야 할지 알 수 없었다.

이해할 수 없는 것은 그뿐만이 아니었다. 최종교에서 편집장이 내가 인터뷰에 써 놓은 "했고요"라는 종결 어미를 다 "했구요"로 바꿔 놓았다. 나는 회의가 끝날 무렵 조심스럽게 사수 배서정에게 물었다.

"선배님, 그런데 왜 했고요를 했구요라고 쓰나요?"

옆에서 그 말을 들은 편집장이 특유의 능글맞은 미소를 지으며 말했다.

"너희들 입장에서는 헷갈릴 수 있겠군."

그리고 덧붙이기를 우리 잡지는 대중 친화적이고 편안한 언어를 구사하기 때문에 어색한 맞춤법은 바꿔 쓰는 것을 원칙으로 한다고 했다. 때문에 '바람'을 '바램'이라고, '했고요'를 '했구요'라고 표기한다고 했다. 나는 맞춤법을 지키지 않는 것과 대중 친화적인 것이 무슨 상관인지 잠시 고민하다 말았다.

편집장은 갑자기 내 전공을 묻더니, 자신도 영문과를 나왔다며 갑자기 민주화 운동에 투신했던 대학 시절 장광설을 늘어 놓았다. 그 후에는 '고전 읽기에 소홀한 요즘 애들'을 주제로 훈화를 펼치기 시작했다. 우리 신입 기자들이 기초 소양을 쌓고 비판하는 지성을 길러야 한다며 자신의 책상으로 가더니, 책꽂이에서 『데미안』과 『수레바퀴 아래서』를 꺼내 건네 주었다. 번역이 엉망인 것으로 유명한 D 출판사의 세계 문학 전집이었다. 황은채와 나는 떨떠름한 표정으로 그것을 받아든 채 각자의 자리로 돌아갔다. 나는 『수레바퀴 아래서』를 책상 위에 올려 두었다. 그리고 매거진 C에만 적용되는 맞춤법을 메모지에 적어 모니터에 붙여 놓았다. 모든 조직에는 그 조직만의 문법이 존재하기 마련이니까. 빠르게 이곳의 문법에 적응하고 싶었다.

황은채와 나는 인턴 시절 팔십만 원의 월급을 받으며 매일 아홉 시 반부터 이르면 저녁 여덟 시, 늦으면 열한 시까지 일했다. 한 달에 한두 번씩은 무조건 밤을 새워 마감을 했다. 점심과 저녁 식대가 따로 나오지 않아 식비나 출퇴근 교통비를 제하면 남는 돈이 없었지만, 괜찮았다. 이 시기를 버티고 나면 더 나은 삶이 펼쳐지게 될 거라는 희망이 있었으니까.

황은채와 나는 매일 다른 사유로 다채롭게 혼났다. 그래도 우리 둘 다 나름대로 꽤 높은 경쟁률을 뚫고 들어온지라 시키는 일을 아예 수행하지 못하는 편은 아니었는데, 아무리 최선을 다해도 꼭 지적을 받고는 했다.

사수 배서정의 디렉션은 일관성이 없었다. 어떤 날은 인터넷 게시판에나 적합할 만큼 신조어를 많이 쓰는 발랄한 무드를 요구하는가 하면, 가벼운 톤으로 기사를 써 가면 문장에 중량감이 떨어지고 수식이 지나치게 많다고 평했다. 그리고 마지막에는 어김없이 매거진 C의 성격과 잘 맞지 않는다며 다시 써 오라고 지시했다. 아무리 과월호를 뒤져 보고 선배들이 쓴 기사를 외우듯 읽어 봐도 매거진 C다운 게 도대체 무엇인지 알 수 없었다. 구체적으로 어떤 부분을 수정해야 하는지 질문했지만 명확한 대답이 돌아오는 경우는 별로 없었다. 무슨 질문에든 "내가 너네들 질문 받아 주는 사람이니? 기사 똑바로 분석 안 했지?"라고 쏘아 댈 따름이었다. 그러다 함께 점심을 먹을 때면 선배 기자들끼리 요즘 애들은 아무것도 알고 싶어 하지도 질문하지도 않는다며 부모님이 시키는 대로 학원을 다니며 수동적으로 공부해 그런 것 같다고, 전혀 참신하지 않은 세대 분석을 했다. 그 말을 한 배서정과 우리가 고작 네 살 차이라는 것이 떠올랐고, '요즘 애들'이라는 말을 쓰기에 네 살 터울은 조금 애매하지 않나, 하는 생각이 들었다.

황은채가 기사 내용 자체로 지적받는 경우가 많았다면 나는 트위터 멘션이나 DM에 즉각 답하지 않는다는 이유로 성실성에 문제가 있다는 평을 듣곤 했다. 결국 나는 핸드폰에서 내 트위터 아이디를 로그아웃한 후, 매거진 C의 아이디로 접속했다. 그리고 새로운 멘션과 DM이 올 때마다 알림이 뜨게 설정해 놓았다. 모기를 잡는 것처럼 잽싸게, 독자들의 의견을 쳐내리라 투지를 불태웠다.

처음으로 혼자 취재를 하러 갔던 날을 아직도 기억하고 있다.

한 신진 작가의 개인전을 스케치하기 위해 삼청동의 어느 갤러리로 향할 때 나는 몹시 긴장한 상태였다. 사진을 포함해 반 페이지에 불과한 짧은 기사였으나 내 이름을 달고 나가는 기사였으므로 나름대로 열심히 준비했다. 뉴욕에서 막 귀국했다는 작가의 회화 작업 이력과 배경을 조사했고, 영문 사이트를 뒤지며 그간의 인터뷰들을 인쇄해 갈무리해 놨다. 전시는 좋지도 나쁘지도 않았다. 장식적이지만 깊이가 부족해 보였고, 인스타그램에 올리기 좋은 아기자기한 느낌이었다. 그래도 기사의 내실을 다지기 위해 전시장에 상주해 있는 작가와 미니 인터뷰를 진행했는데 과묵한 힙스터처럼 보이는 외견과는 달리 정오의 라디오를 틀어 놓은 것처럼 말이 많은 남자였다. 유학 기간 동안의 고충과 자신의 작품에 담긴 심오한 의미며 삶의 궤적, 하다못해 반려견의 품종까지 읊어 대는 통에 도대체 말을 끊을 수가 없었다. 예상했던 시간을 훌쩍 넘긴 나는 잠시 쉬기로 한 후, 배서정에게 카카오톡 메시지를 보 냈다.

— 선배님, 인터뷰가 길어져 아무래도 퇴근 시간까지 사무실에 못 들어갈 것 같습니다.

— 알겠어. 인터뷰 끝나면 바로 퇴근해. 내일 출근 전까지 녹취 풀어놓고.

— 네, 감사합니다.

— 그런데 너, 프사랑 대화명이 그게 뭐니?

— 네?

내 카카오톡 프로필 사진은 한창 유명세를 끌고 있던 아이돌이 었고, 대화명은 '꿀꿀이'였다. 실제로 회사를 다니면서부터 갑자 기 살이 찌기 시작해서 별생각 없이 달아 놓은 대화명이었다.

— 생각이 있는 거니 없는 거니. 애도 아니고 아이돌 사진에 꿀 꿀이가 뭐니? 인터뷰이가 보면 무슨 생각 할 것 같아? 넌 밖에 나 가면 우리 매체를 대표하는 사람이야. 당장 대화명이랑 프로필 사 진 바꿔.

배서정의 프로필을 클릭해 보니 프로필 사진은 매거진 C의 이 번 호 표지였고, 대화명은 '매거진 C 배서정 에디터'라고 되어 있 었다. 나는 프로답지 못한 중대한 실수를 저질렀다는 생각에 얼른 프로필을 바꾸었다. 마치 거푸집으로 찍어 놓은 것처럼, 배서정과 똑같은 방식으로.

　잠깐의 휴식 후 인터뷰이가 다시 자기 자랑을 늘어놓는 걸 듣다가 녹초가 된 나는 집에 가는 길에 황은채에게 카톡으로 인터뷰이의 수다스러움을 흉봤다. 대화의 말미에 별생각 없이 배서정이 한 말을 전했다. 그러자 갑자기 황은채가 엄청나게 격렬한 반응을 보이기 시작했다.

　— 야, 너도 당했어?

　— 무슨 소리야?

　— 배서정 선배 진짜 이상해. 내가 카톡 프로필에 남친이랑 찍은 사진 올려놨더니 점심 먹다 말고는 세상천지에 남자 친구는 너만 있냐고, 당장 바꾸라고 난리 치는 거 있지.

　— 뭐? 그게 그렇게까지 할 일이야?

　— 그니까. 게다가 너랑 나 둘 다 왜 공식 계정 팔로우 안 하냐면서, 선배에게 페북 친추도 먼저 하는 게 기본 아니냐고, 너네는 다들 기본이 안 됐다고 게거품 물더라니까.

　— 우리가 개인 계정으로 뭘 하든 말든. 야, 이거 다 사생활 침해 아냐?

　— 내 말이. 근데 너 배서정 선배, 와세다대 나온 거 알아?

　— 말도 안 돼.

　— 진짜야. 내가 선배들 얘기하는 거 들었어.

　— 헐 진짜? 하긴 목소리나 분위기가 좀 특이하긴 하잖아. 일본에서 오래 살았대?

— 중학교 때 가서 대학까지 쭉 거기서 나왔대. 하루키 후배래!

— 갑작 하루키ㅋㅋ. 아니 근데 일본 사람들은 원래 남 사생활 터치 안 하지 않아?

— 몰라. 일본 생활 하다 너무 숨 막혀서 그렇게 됐나?

— 후배들 잡도리하고 남 일에 참견하는 것만 한국 패치 적용됐나 봐.

그 후로도 우리는 집단주의 문화에 젖어 있는 한국 사회에 대한 개탄과 개인의 가치를 완전히 잃고 집단에 동화되어 버린 배서정 선배를 주제로 약 사십 분간 폭풍 카톡을 했다.

배서정이 우리를 사수로서 엄하게 가르치는 것이 아니라 인간적으로 싫어하는 게 분명하다는 확신을 하게 된 날이 있었다.

우리가 만든 두 번째 잡지가 출간됐을 무렵, 출판 디자인 페어에 매거진 C 단독 부스를 연다는 소식을 들었다. 전국 각지의 잡지사와 독립 출판사 등이 모이는 꽤 커다란 자리였다. 우리 회사에서도 일 년 중 가장 중요하게 여기는 행사라 했고, 때문에 이것저것 챙길 게 많았다. 행사 나흘 전부터 부산하게 사무실에서 짐을 싼 우리는 당일에 가장 먼저 행사장에 도착했다. 운송업체에서 부려놓고 간 박스들 앞에서 황은채와 나는 망연해졌다. 다른 잡지사나 출판사 관계자들은 모두 삼삼오오 모여 분주하게 일하고 있었다.

선배들에게 전화해 보니 다들 취재가 있다며 우리끼리 먼저 행사 준비를 시작하라고 했다. 회의 시간에 일러 준 대로 부스 외벽에 포스터를 붙이고 과월호를 진열해 놓으라고 덧붙였다. 고작 두 명이서 이 많은 것들을 다 할 엄두가 나지 않았지만 그런 생각을 할 겨를도 없었다. 일단 황은채와 나는 미리 마련해 둔 천을 테이블에 깔고, 최신호를 눈에 띄게 깔아 놓고 그 밑으로 유달리 판매고가 좋지 않았던 과월호들을 펼쳐 놓았으며, 페어 측에서 제공한 플라스틱 테이블의 다리 쪽에 포스터들을 이어 붙였다. 미리 준비해 온 광고물이며 굿즈들까지 부려 놓고 나니 페어가 시작하는 열 시 무렵이 되었다. 그제야 홍보팀 선배들이 하나둘 행사장에 모습을 드러냈다. 개장하자마자 생각보다 많은 사람들이 몰려들었고(도대체 어디서 이 사람들이 다 나타난 거지?) 황은채와 나는 정신없이 유인물을 나눠 주며, 또 팔리지도 않는 과월호를 홍보하며 다른 선배들을 기다렸다.

배서정은 두 시가 지나 부스에 도착했다. 그녀는 오자마자 가방을 턱 내려놓으며 우리에게 소리를 질렀다.

"너네 지금 이걸 포스터라고 붙여 놓은 거야?"

쉴 새 없이 사람들이 밀려들고 있었지만 배서정의 눈에는 그것이 보이지 않는지, 테이블 앞쪽에 주저앉아 우리가 붙여 놓은 포스터를 떼기 시작했다. 나는 그녀의 옆에 어정쩡하게 서서 같이 포스터를 떼야 하나, 죄송하다고 고개를 푹 숙이고 있어야 하나 고민에 휩싸였다. 황은채는 부스에 몰린 사람들의 질문에 정신없이 대답을 하고 있었다. 갑자기 배서정이 악에 받쳐 소리를 질렀다.

"황은채, 지금 웃음이 나와? 사람들이 너한테 웃어 주니까 좋니? 너 지금 내가 뭐 하는지 안 보여? 안 보이냐고."

당황한 황은채는 거의 울 것 같은 얼굴이 되었고 부스를 구경하던 사람들도 놀란 표정으로 자리를 떠났다. 홍보팀 직원들은 우리를 본체만체하며 딴청을 피우고 있었다. 나는 도대체 무슨 말을 어떻게 해야 할지 몰라서 이리저리 눈치를 살피다 결국 배서정이 떼다 남은 포스터를 모두 떼어 냈다. 배서정은 다시 한숨을 쉬더니 우리에게 새 포스터를 가져오라고 했다. 배서정은 그걸 이리저리 대보며 가장 이상적인 각을 찾으려 노력했다(배서정은 항상 오와 열, 각에 집착했다.). 그러더니 마침내 가장 적합한 구도를 찾은 듯 다시 정성껏 포스터를 붙였다. 우리가 붙인 것과 정확히 같은 형태로…… 배서정은 포스터를 다 붙이기 무섭게 나에게 냉랭한 목소리로 물었다.

"네가 뭘 잘못했는지 말해 봐."

"네?"

"지금 몇 시야?"

"두 시 십삼 분요."

"매일 두 시에 네가 할 일이 뭐지?"

맞다, 트위터. 나는 고개를 꾸벅 숙이며 죄송합니다, 정신이 없었습니다, 대답을 했다. 배서정은 고개를 절레절레 저으며 요즘 애들은 정말, 이라고 중얼거렸다. 이 난리 통에도 트위터를 올리라는 말인가, 하는 생각이 들기는 했지만 어쨌든 내 업무를 충실히 수행하지 못한 것은 사실이었으니까, 더 할 말이 없었다. 나는 불편한 마음을 티 내지 않기 위해 더 열심히 웃으며 부스를 찾는 손님을 맞이했다.

네 시쯤부터 사람들이 마구잡이로 몰려들었다. 우리는 미리 준비한 앙케트며 과월호 판매를 이어 나갔다. 편집장이 느지막이 도착했고, 마치 사찰단처럼 여기저기를 배회하며 우리 부스를 이리저리 품평했다. 배서정은 우리를 대할 때와는 사뭇 다른 싹싹한 태도로 편집장을 맞이했다. 황은채는 확실히 풀 죽은 모습이었다. 애써 웃고 있기는 했지만 눈꼬리가 처진 것이 누가 봐도 지친 기색이 역력했다. 하긴 그런 말을 듣고도 괜찮을 수 있는 사람은 많지 않을 것이다.

오후 여덟 시, 행사가 끝난 후 우리는 모두 녹초가 된 채로 부스를 정리했다. 편집장은 책 몇 권을 대충 박스에 넣는 시늉만 하더니, 얼른 마무리하고 회식을 하러 가자고 했다. 그리고 뒤도 돌아보지 않고 부스 밖으로 걸어갔다. 나와 황은채는 눈빛 교환을 하며 무언의 욕을 주고받았다. 손바닥에 땀이 나도록 짐을 싸고, 홍보팀 차량에 짐을 실었다.

황은채와 내가 회식 장소인 컨벤션 센터 인근의 중국집에 갔을 때는 우리를 제외한 모든 직원들이 자리에 앉아 있는 상태였다. 편집장은 여느 때처럼 '우리 식구들'의 근황을 묻는 말로 식사를 시작했다. 나와 황은채는 테이블에 놓인 젓가락과 간장 종지를 묵묵히 배분했다. 음식보다 맥주가 먼저 나오자 편집장이 건배를 제안했고 모두가 잔을 들었을 때, 편집장은 뜬금없이 배서정의 어깨를 툭툭 두드리며 배 수석이 오늘 아무것도 모르는 애들 데리고 혼자 일하느라 수고 많았다, 라고 말했다. 나는 마치 그런 그의 생각에 완벽히 동의하는 것처럼 고개를 끄덕였다. 주문한 음식이 나오자 나는 자장면을 코로 마시듯 먹었고, 황은채는 짬뽕을 깨작댔다. 볶음밥을 먹던 편집장이 뜬금없이 말했다.

"그런데 서정아, 너 남자 친구는 아직이니?"

도대체 저런 사적인 질문을 왜 하는 걸까 생각하고 있는데, 배서정이 웃는지 찡그리는지 모를 모호한 표정(배서정의 미소는 언제나 그랬다.)을 지으며 "네, 그렇죠 뭐."라고 말했고 사람들이 와하하하 웃음을 터뜨렸다. 황은채와 나는 언제나처럼 서로 눈을 마주치며 이게 웃을 일인지 아닌지 고민했고 그런 우리를 보며 편집장은 "얘 얼마 전에 남자 친구랑 헤어졌잖아."라고 유쾌하게 말했다. 아무리 가족 같은 회사를 지향해도 이런 얘기까지 나누는 건 정말 아닌 것 같았는데 맞은편의 황은채 역시 당황한 표정이었다. 대화의 주제는 배서정의 연애 얘기로 완전히 넘어가 버렸다. 편집장은 우리 서정이가 대학 졸업하자마자 회사 들어와 일만 하고 사느라 번번이 차이기만 하고 제대로 연애도 못한다며, 어디 소개해 줄 좋은 남자 없냐고 내게 물었다. 나는 누가 봐도 작위적인 미소를 지으며 적당히 대답을 회피했다. 배서정은 표정 없는 얼굴로 자기 몫의 단무지를 씹었다. 배서정의 연애 대토론이 끝난 후, 편집장은 나에게도 여자 친구가 있냐는 질문을 했다. 나는 입에 음식이 가득한 채 고개를 완강히 저었다. 그리고 입 안에 있는 음식물이 보이지 않게 사력을 다해 미소를 지었다. 배서정은 때를 놓치지 않고 내게 톡 쏘아붙였다.

"예전부터 말하려고 했는데 너 옷 입는 것 좀 신경 쓰고 다녀. 밖에 나가면 네가 우리 매거진을 대표하는 사람인데 명색이 에디터가 꼴이 그게 뭐니."

나는 갑작스러운 지적에 나도 모르게 허허허 소리를 내며 웃어 버렸다. 기분이 나쁘거나 궁지의 상황에서 웃음이 터져 버리는 것은 나의 고질병이었다.

"왜 웃니? 재밌어?"

"아니요, 그게 아니라……."

"넌 왜 그렇게 맨날 조증 걸린 사람처럼 갑자기 웃니?"

그럼 울까? 하다 하다 이젠 웃는 것 갖고도 난리였다. 그러는 배서정 본인도 매일 보풀이 일어난 파란 스웨터만 입고 다니면서(그녀의 말에 따르면 다이칸야마의 빈티지 숍에서 산 옷이라고 했다.). 나는 더 이상 표정 관리가 되지 않아 빈 접시만 쳐다봤다. 방금 전까지 느꼈던 연민의 감정이 무색할 정도로 불쾌한 감정이 일었다. 그때 편집장이 검지로 자신의 잔을 툭툭 쳤다. 나는 그의 잔이 빈 것을 깨닫고 부랴부랴 맥주를 따랐다. 편집장은 특유의 인자한 미소를 지으며 나에게 물었다.

"남준이는 형제 관계가 어떻게 돼?"

"아, 저는…… 혼자입니다."

"역시. 외동이구나. 나랑 친한 밴드 S 알지? 거기 베이시스트도 외동인데 남준이랑 비슷해."

"어떠신데요?"

"자기 세계가 강하고, 독고다이고, 뭐 그런 사람? 혼자 작업해야 하는 아티스트지."

그러니까, 외동인 내가 조직 생활에 맞지 않는다는 의미였다. 술 한 잔 제대로 안 따라 줬다고 이러는 걸까. 내가 별다른 대답을 하지 않자 편집장은 황은채에게도 가족 관계를 물었다. 언니 한 명이 있다고 하자, 역시 막내라 그런지 응석이 심한 편인 것 같다는 얘기를 했다. 황은채의 얼굴이 설핏 굳어지는 게 보였다. 편집장은 이에 아랑곳하지 않고 황은채에게 남자 친구가 있냐고 물었다. 배서정이 냉큼 끼어들었다. "얘 장난 아니에요. 카톡 프로필이 거의 러브장이잖아요."라며 예의 얼굴을 구기는 미소를 지었다.

"근데 너 그렇게 다른 남자들한테 막 웃어 주고 긴 머리 휘날리고 다니면 남자 친구가 싫어하지 않니?"

편집장의 질문에 황은채는 애매하게 웃으며 젓가락으로 다 먹은 짬뽕 국물을 휘휘 저을 따름이었다.

그날 황은채와 나는 끈끈한 무언가를 뒤집어쓴 기분으로 집으로 돌아갔다.

✴

며칠 뒤 우리 사무실에는 소소한 파란이 일었다. 일단 황은채의 트레이드마크였던 웨이브 진 긴 머리칼이 어깨 위로 짧게 잘려 있었다. 덕분에 내가 처음으로 정장을 입고 출근한 일은 완벽히 묻혀 버렸다. 회사 사람들이 황은채에게 한마디씩 건넸다. 머리가 긴 게 낫다느니 짧은 게 더 예쁘다느니, 남자 친구랑 헤어졌냐는 둥 대답할 가치도 없는 말들이었다. 나는 황급히 자리에 앉아 메신저를 켜고 황은채와의 대화 창을 열었다.

─너 머리 뭐야? 진짜 헤어진 건 아니지?

─아냐. 그냥 기분 더러워서 잘랐어. 근데 나 어제 미용실 갔다 죽을 뻔했다.

─왜?

─머리 자르다가 갑자기 목 졸리는 것처럼 숨이 안 쉬어지는 거야. 커트 끝나자마자 쓰러졌잖아. 구급차 오고 응급실에 실려 가고 난리 났었어.

─야, 너 괜찮아? 출근해도 되는 거 맞아?

─링거 맞고 약 먹고 지금은 멀쩡해.

─큰 병은 아니겠지?

─공황 장애 같대.

─미친, 그거 연예인들이나 걸리는 병 아냐? 원인이 뭐래?

─스트레스. 약 먹고 상담 치료 받으래. 이따 점심에 회사 옆 병

원에 가 보려고.

— 이거 완전 산재 아니냐? 노동부에 신고해 버려.

이후로 황은채는 일주일에 한 번씩, 점심시간마다 사무실 옆 정신과에 치료를 받으러 다녔다. 회사에는 단순 지병이라고만 알렸다. 황은채가 없는 점심때마다 누군가가 황은채의 행방을 물었고, 내가 병원에 갔다고 말해 주면 선배들은 노골적으로 싫은 티를 냈다. 진짜 아파서 병원에 간 게 맞는지, 요 근처 병원이면 단순히 미용 시술을 받으러 다니는 게 아닌지, 남자 친구랑 밥 먹으러 가 놓고 아프다고 둘러대는 건 아닌지와 같은 말들. 물론 그 선봉에는 언제나 배서정이 있었다.

"요즘 애들은 그렇다? 실력은 없는데, 자기가 뭐나 되는 줄 알고. 이름이나 알리려고 하고. 도무지 동료의식 같은 건 없고. 사실 이렇게 함께 밥 먹고 얘기 나누는 것도 다 회사 생활의 일부인 건데, 그런 걸 잘 모르더라고. 너희들이 그렇다는 건 아니고. 요즘 그런 애들이 많다고. 친구들끼리 만나면 그 얘기만 하잖아. 체르노빌 때 퍼진 방사능이 88년쯤에 한국에 흘러든 거 같다고."

뒤이어 사람들은 식당이 떠나가라 웃었다. 황은채만을 겨냥해서 한 말은 분명 아니었다. 나는 하나도 웃기지 않았지만, 누구보다 큰 소리로 웃은 뒤, 고개 숙여 묵묵히 볶음밥을 먹었다. 왠지 체할 것 같은 기분이었다.

그 후로 나의 삶은 요즘 애들답지 않기 위한 노력으로 점철되었다. 같이 식사 자리에 오면 누구보다 빨리 컵에 물을 따라 놓았고, 인원수대로 수저를 깔았다. 사무실에 사람 그림자라도 보이면 고개 숙여 인사부터 했고, 누군가 싫은 소리를 해도 그저 주워 삼켰다. 그렇게 '가족' 같은 회사에 적응하기 위해 안간힘을 다했다. 그러다 보니 어느덧 기획 회의에 들어갈 때도, 남이 쓴 기사를 필사하다시피 베끼거나 내 기사가 틀린 맞춤법으로 고쳐질 때에도 나는 별다른 거부감을 느끼지 않게 되었다. 황은채 역시 나와 마찬가지인 듯했고, 이런 우리의 변화가 사회에 적응하는 과정이라 믿었다. 그렇게 나다운 것들을 깨끗이 표백하고 나면 비로소 매거진 C의 색깔이 입혀져 그토록 염원하던 정직원이 될 수 있을 거라고 여겼다.

✦

하지만 그런 이후에도 배서정의 태도는 변하지 않았다. 어느 날은 두 시간 분량의 긴 인터뷰를 하고 기진맥진해져 돌아온 나에게 이렇게 말했다.

"너 녹음기 좀 줘 봐. 인터뷰 애티튜드 확인 좀 하자."

"선배님, 저 아이폰으로 녹음을 해 와서요. 파일 옮겨서 바로 보내 드릴게요."

"뭐?"

배서정은 나에게 성의 없이 핸드폰으로 녹음을 해 왔다고 혼을 냈다. 그녀의 논지에 따르면 핸드폰 하나 딸랑 들고 가서 녹음하고 얘기 듣는 것만큼 성의 없어 보이는 건 없다고 했다. 나는 일단 반사적으로 죄송합니다, 대답을 했지만 자리에 앉아 핸드폰을 노트북에 연결하는 순간 핸드폰으로 녹음하는 게 뭐가 어때서, 라는 생각이 들었다. 혹시나 하는 마음에 다른 매체에서는 어떻게 인터뷰하는지 검색해 보았는데 뉴욕 타임스 기자가 대통령을 인터뷰할 때 아이폰으로 녹취를 하는 사진이 떴다. 하물며 백악관의 출입 기자도 취재할 때 핸드폰을 쓰는데, 도대체 왜 안 된다는 건데. 나는 분노를 누르며 핸드폰으로 녹음하는 기자들 사례를 집착적으로 찾아냈다. 그런데 역시나 1절만 하고 끝낼 선배가 아니었다.

"너는 그게 문제라고. 기자가 발로 뛰고 손으로 쓸 생각은 안 하고, 핸드폰 하나 딸랑 들고 가면 끝이니? 그리고 너 회사 올 때는 왜 가방도 안 들고 오는데? 성의 없어 보이게."

나는 그 성의, 라는 게 무엇인지 도무지 알 수 없어져 버렸고, 배서정의 찌푸린 미간에 대고 묻고 싶어졌다. 그럼 인터뷰이가 말하고 있는데 선배처럼 다 해진 모닝글로리 수첩에 다시 읽지도 않을 낙서 같은 걸 끄적여야 한다는 건가요? 그럴 거면 녹음기는 왜 켜놔요? 그럴 시간에 질문 하나라도 더 하고 인터뷰이랑 눈을 맞추는 게 낫지 않나요? 가방을 왜 안 들고 오겠어요. 하루에 사무실에 있는 시간만 열세 시간이 넘는데요. 집에서는 잠만 자는데, 칫솔도 치약도 수건도 슬리퍼도 펜도 노트북도 핸드폰 충전기도 다 회사에 있는데, 가방을 왜 갖고 다녀요. 누구보다 또박또박하고 명료한 목소리로 따지고 싶었지만 나는 목구멍까지 차오르는 말을 꾹꾹 눌러 담았다. 대신 메신저로 배서정에게 녹음 파일을 보낸 후, 싸해진 사무실 분위기를 신경 쓰며 웃음기 띤 목소리로 오늘 취재 분위기며 인터뷰이의 인상에 대해 늘어놓았다. 셰프님 가게에 우리 잡지가 놓여 있더라고요, 그간 쭉 눈여겨보고 있었다고 말씀해 주셨는데…….

내 말을 도중에 끊고 배서정이 쏘아붙였다.

"너 왜 웃어? 웃겨? 내가 방금 뭐라고 했는데, 그냥 우습니? 조증 걸린 애처럼 왜 맨날 웃어?"

그러게, 나 왜 웃지.

이렇게까지 이해되지 않는 상황 앞에서도 나는 정말 왜 웃고 있지.

✳

면접 때 약속한 삼 개월의 수습 기간이 지났지만, 우리는 정직원이 되지 못했다. 아무도 그에 대한 언급조차 하지 않아 황은채와 나는 편집장에게 언제쯤 정식으로 채용될 수 있는지 묻기로 했다. 둘 중 누구도 먼저 말을 꺼낼 엄두가 나지 않아 가장 민주적인 해결 절차인 가위바위보로 대표를 정했고, 결국 황은채가 걸렸다.

점심을 먹은 뒤, 우리는 나란히 편집장 앞에 섰다. 편집장은 특유의 능글맞은 미소를 지으며 무슨 일이냐고 말했다. 황은채가 다 기어들어 가는 목소리로 "저희 삼 개월 수습 기간이 끝난 것 같아서……."라고 말했다. 편집장은 누구보다도 온화한 목소리로 원래 수습이 끝나는 시점은 업무 수행도에 따라 달라진다고 말했다. 편집장은 아직 우리가 정식 기자가 되기에는 역량이 부족하다며 턱짓으로 배서정을 가리켰다.

"은채야, 너네가 지금 쓰는 글이 서정이 쓰는 기사랑 퀄리티가 같다고 생각하니?"

"아뇨, 그런건 아닌데……."

"잘 아네. 그런데 어떻게 너희랑 서정이랑 똑같은 기자가 될 수 있겠냐. 그건 요행이고 놀부 심보 아닐까?"

우리는 순식간에 주제 파악을 하지 못하고 고약한 심보를 가진 대역죄인이 됐다. 편집장은 뒤이어 스물세 살에 이곳에 입사한 배서정의 경우 십팔 개월의 수습 생활을 거치고 나서야 비로소 정식 기자로 채용되었다고 했다.

한참 일장 연설을 마친 편집장이 칫솔을 들고 밖으로 나갔다. 십팔 개월의 시간 동안 배서정이 어떤 삶을 살았을지, 또 어떤 표정을 지었을지 잠시 상상해 보았지만 잘 떠오르지 않았다. 배서정은 여전히 모니터를 바라본 채로 편집장님이 하신 말씀에 너무 상처받을 것 없다며, 너희가 열심히 배우려 노력하고 잘하기만 한다면 언제든지 정규직으로 전환될 수 있다고 우리를 위로했다. 선배에게 인간적인 말을 듣는 건 거의 처음이 아닌가, 하는 생각이 든 찰나 배서정이 덧붙였다.

"나는 일 년 넘도록 버스비도 못 받고 다녔어. 너희는 일도 배우고 돈도 받잖니. 긍정적으로 생각해라."

황은채와 나는 우리가 너무 어리석었다는 사실을 인정하기로 했다. 매거진 C에서는 그 어떤 질문도 허용되지 않는다는 것을, 무슨 질문을 하든 원하는 답을 구할 수 없는 게 이곳의 문법이라는 것을. 적막하고 건조한 사무실에 앉아 있노라니 어이없고 화나고 억울한 마음이 한꺼번에 몰아쳐 왔으나 생각을 멈추기로 마음먹었다. 그저 고무나무에 물을 주면서 이토록 춥고 건조한 사무실에서 열대 지방의 나무가 이렇게 징그럽게 잘 자랄 수 있다는 사실에 놀라며, 찌꺼기를 남기지 않고 커피 필터를 가는 방법이나 집에 가서 야식으로 무엇을 시켜 먹을지와 같은 것들을 고심하며 이 시절을 버티기로 마음먹었다.

어김없이 다음 호 기획 회의가 돌아왔다. 나는 요즘 가장 핫한 극단이 새로 올린다는 공연을 취재하고 싶다는 기획안을 냈다. 배서정은 내 기획안을 보고 가소롭다는 듯 입꼬리 한쪽을 올리며 말했다.

"그 극단, 러시아 희곡은 엉망이야."

"아……."

"가만 보면 네 기획안은 항상 어디서 대충 긁어 온 거 같더라? 뭘 제대로 조사하고 쓰는 거 맞니? 아니면 그냥 당대에 유행하는 걸 그냥 다 때려 박는 거니."

나는 당대에 유행하는 것을 모아 놓는 매체가 잡지 아닌가요, 묻고 싶었지만 그러지 않았다. 앞으로 더 성실히 조사해 보겠습니다, 대답하고 말았다. 어차피 내가 무슨 의견을 내든 수용되지 않을 것을 알고 있었다. 뭘 묻고 따지고 배우고 하는 게 쓸모없이 느껴졌다. 편집장이 기획안들을 하나씩 훑어갔다. 국제 영화제 행사를 위해 방한하는 일본 유명 영화감독의 인터뷰는 역시나 배서정에게 돌아갔다. 황은채와 내게 행사 스케치와 홍보용 기사가 공평하게 분배되는 가운데 갑자기 편집장이 물었다.

"소설가 K? 이 양반 완전 은퇴한 거 아니었나? 이거 누가 기획안 냈어?"

별생각 없이 회의록을 받아 적다가 화들짝 놀란 내가 대답했다.

"저요. 다음 달에 십 년 만에 신작이 나온대요. 이천 매짜리 장편이라고 하더라고요."

"그래? 좋아."

믿을 수 없는 일이 벌어졌다. 처음으로 내게 메인 기사가 배정된 것이다. 심지어 사십 매 분량의 긴 인터뷰 기사가. 편집장은 회사로서는 너 같은 새파란 수습한테 이렇게 큰 꼭지를 맡기는 것은 모험이나 다름없다며 고마운 줄 알라고 했다. 제대로 된 일을 처음으로 맡았다는 사실이 기뻐 감사하다고 연신 고개를 조아렸다.

인터뷰 섭외는 고생길이었다. 소설가 K의 은둔하는 성격 탓에 연락부터가 만만치 않았다. 오직 출판사를 통해서만 소통이 가능했다. 거의 상소문에 가까울 만큼 절절한 인터뷰 요청을 출판사에 전달하자 작가의 개인 메일 주소로 답장이 왔다. 언젠가 우리 잡지를 본 적이 있다고 했고, 어릴 적부터 당신의 전작을 따라 읽었다는 나의 메일에 큰 감동을 받았다고 했다. 그러나 결국 대면 인터뷰는 부담스럽다며 고사했다. 나는 이것이 정말 마지막이라는 심정으로 오래전 나의 독서 노트를 꺼내, 그의 소설에서 감명 깊었던 문장들을 필사한 페이지를 찍어 첨부한 뒤, 그 문장들이 나를 지금 기자의 길로 이끌게 되었음을 강하게 어필했다. 한 시간이 지나지 않아 나의 제안을 승낙한다는 답신이 왔다. 나는 전율했다.

인터뷰 날, 배서정은 갑자기 나에게 인터뷰 시트를 들고 오라고 명했다. 내가 쭈뼛대며 질문지를 뽑아 가자, 근황을 묻는 것부터 시작하는 내 질문들이 너무 진부하다며 도저히 인터뷰이에게서 좋은 내용을 뽑아낼 수 없는 형편없는 수준이라고 했다. 그녀는 갑자기 빨간 펜을 들더니 질문의 순서를 마구 바꿔 놓은 뒤, 급하니까 자기가 제대로 정리를 해 준 것이라고 말했다. 그녀가 고쳐 놓은 질문지는 얼핏 훑어봐도 흐름이 어색했다. 나는 그냥 감사합니다, 하고 그녀가 준 빨간 줄이 가득한 인터뷰 시트를 가방에 넣었다. 그리고 수정 전의 것을 한 부 더 인쇄해서 인터뷰 장소인 서울 근교의 작가 레지던스로 향했다.

소설가 K와의 인터뷰는 즐거웠다. 그는 자신이 어떤 사람이며 무엇을 하고 있는지, 무엇을 좋아하고 싫어하는지를 명확하게 알고 있는 사람 같았다. 나는 그게 부러웠는데, 그때의 내게 결핍된 것이 그런 판단이었기 때문이었다. 내가 어디에 있고 무엇을 하고 있고, 그것이 어떤 의미인지에 관한 것들. 내가 내 미래에 대해 생각하지 않게 된 게 언제부터였는지 떠오르지 않았다. 나는 그가 했던 말들을 되새기며 사무실로 복귀했다.

자리에 돌아와 모니터를 켜자 사내 메신저로 메시지가 하나 와 있었다. 배서정이었다.

— 네가 뭘 잘못했는지 말해 봐.

나는 몸을 살짝 일으켜 맞은편에 앉은 배서정에게 물었다.

"선배님, 무슨 일이세요?"

배서정은 자신의 핸드폰을 톡톡 치며 지금이 몇 시인지 보라고 했다. 시간은 네 시.

"너 해야 할 일이 있지 않니? 매번 빼먹는 그거."

설마…… 트위터?

내가 일부러 빼먹은 것도 아니고, 그럼 인터뷰하는 도중에 핸드폰을 켜고 트위터를 하라는 말이야? 갑자기 화가 치밀어 올랐다. 더는 참을 수 없을 만큼 격렬히. 나는 메신저 창을 열고 배서정에게 메시지를 보냈다.

— 선배님, 인터뷰가 길어져서, 인터뷰하는 도중에 폰을 만지는

건 실례인 거 같아서 트위터 업로드를 하지 못했습니다. 죄송합니다.

— 너 오늘따라 말이 길다? 내가 오늘 일만 갖고 그러겠니? 넌 언제나 이런 식이잖아. 하는 일이 뭐 얼마나 된다고, 그거 하나 똑바로 못하니. 내가 팔만대장경을 필사하라고 했니? 아니면 하루에 열 번씩 기사를 올리라고 했니? 트위터 관리 똑바로 하라는 게 그렇게 어렵니? 인터뷰 기사 하나 맡으니까 이제 니가 아주 대단한 기자라도 된 것 같니? 그래서 트위터는 하찮게 느껴지니? 분위기 파악 못하고 조증 걸린 애처럼 실실 웃을 줄이나 알지, 똑바로 하는 일이 있긴 하니?

이성의 끈이 끊어지는 소리가 들렸다. 나는 키보드로 한참 동안 뭔가를 치다가 다 지웠다. 그리고 자리에서 벌떡 일어났다. 배서정에게 말했다.

"선배님, 사무실 밖으로 좀 나와 주시겠어요?"

배서정은 기가 찬다는 듯이 어깨를 들썩이며, 그래, 못 나갈 건 또 뭐니, 하며 나를 따라 나왔다. 내 입술이 사정없이 떨리는 게 느껴졌다. 이제 정말 끝을 낼 때가 온 것 같았다. 복도에 나오자마자 배서정이 나에게 소리쳤다.

"내 기자 인생 팔 년 만에 선배를 복도로 불러내는 애는 네가 처음이다. 너 지금 이게 얼마나 말도 안 되는 짓인지 알긴 아니?"

나도 지지 않고 말했다.

"제 인생 이십육 년 동안 선배 같은 사람도 처음인데요? 그 잘난 기자 인생 팔 년 동안 인간 되는 방법은, 타인에 대한 존중 같은 건 못 배우셨나 봐요."

그것은 내가 매거진 C에 와서 처음으로 웃지 않는 표정으로 한 말이었다.

✦

마지막 출근 날, 편집장이 나를 불렀다. 그리고 배서정이 편집장에게 제출했던 내 평가서를 읽어 주었다.

"트렌드를 읽는 감각과 문장의 기본기가 있음. 기복이 심한 성격만 잘 눌러 주면 좋은 인력이 될 자질이 있음."

편집장은 나를 정규직으로 채용할 생각이었으나 그날의 소동으로 생각이 바뀌었다고 했다.

"우리 회사는 가족 같은 분위기가 전부인데, 그런 분위기를 망치는 사람이 들어오면 되겠냐."

그러고는 역시 외동이라 그런지 조직 생활에 도통 어울리지 않는 것 같다며 나의 사회성에 대한 평가를 마쳤다.

"모두가 조직에 적합한 건 아니잖아? 아예 감이 없는 애는 아니니까 칼럼 같은 것도 쓰고 블로그 같은 것도 하고 그래 봐."

나는 빙긋 웃으며 그동안 감사했다는 말을 남기고 자리에 돌아와 빈 박스에 짐을 싸기 시작했다. 배서정은 그런 내 모습을 물끄러미 바라보다 한마디 했다.

"너, 그동안 내가 아무 칭찬도 하지 않아서 화가 났던 거니?"

"아니요, 그것 때문은 아니었는데……."

"이번 인터뷰 기사 잘 썼더라. 소설가 K."

도장을 찍듯이 평가를 마친 배서정은 평소와 같이 의중을 읽기 어려운 표정이었다. 아마도 그것이 그녀가 내게 할 수 있는 최고의 찬사일지도 모른다는 생각이 들었다. 나는 무슨 대답을 할까 고민하다 결국 아무 대답도 하지 않았다. 그리고 전자파를 잡아먹는다는 선인장을 박스에 넣었다. 배서정은 나에게 만약에 '섭섭한' 일이 있었다면 잊고 다시 새롭게 시작하면 좋겠다고, 이런 일을 여러 번 겪어 본 사람답게 차분하게 말했다. 처음 들어온 날부터 조증 걸린 애처럼 너무 방방 떠 있길래 그것을 눌러 주기 위해, 너를 위해 일부러 칭찬을 하지 않았다고 덧붙였다.

선배 있잖아요, 저는 칭찬을 듣고 싶었던 게 아니라, 그냥 인간 취급을 받고 싶었어요. 실력도 없는 주제에 이름이나 알리고 싶어하는 요즘 애들이 아니라, 방사능을 맞고 조증에 걸린 애가 아니라, 최선을 다해 삶에 적응하려고 노력하는 한 명의 인간으로요.

뭐 이런 얘기를 하고 싶었지만 하지 않았다. 다만 여느 때처럼 내가 할 수 있는 세상 가장 밝은 얼굴로, 배서정을 향해 빙그레 웃으며 지금까지 감사했습니다, 꾸벅 인사했을 뿐이다. 앞으로 무엇을 할 거냐고 형식적으로 묻는 배서정의 말에는 이렇게 대답했다.

"저, 편집장님 말씀대로 제 일을 하려고요."

"무슨 일?"

"뭔지는 잘 모르겠지만, 그런 일요. 사회생활 못하는 사람도 할수 있는 그런 일."

입사 때에 비해 얼굴에 살이 부쩍 내린 황은채는 짐 박스를 안아든 나를 부러운 눈빛으로 바라보고 있었다. 돌아서는 나를 향해 배서정이 짧게 말했다.

"나, 너 안 싫어해."

나는 묵직한 박스를 든 채 그 풍경으로부터 멀어졌다. 안간힘을 다해 앞만 보고 걸었다.

매거진 C를 떠난 뒤 내 인생은 일사천리로 흘러갔다.

내 인생 두 번째 회사는 언론 쪽과는 전혀 상관없는 곳이었다. 자동차 부품을 만드는 회사였는데 매거진 C에 비해서 기본급도 높고 출퇴근 시간도 일정하고 후배 사원이라고 함부로 말을 놓지 않는, 그러니까 인간적인 대우를 해 주는 곳이었다. 호봉제가 적용되었고, 연차만 채우면 승진이 가능했다. 선배들도 다들 지루하지만 안전하게 살아가는 사람들이었다. 나는 그곳에서 한 번도 크게 웃거나 뭔가 튀는 행동을 하지 않으며, 시키는 일을 오직 할당된 분량만큼 하는 인간이 되었다. 무료함이 느껴질 때면 연애를 했고, 취미를 만들었다. 그러다 질식할 것 같은 기분이 들 때면 자소서를 썼다. 매거진 C에서 기자 생활을 하며 깨우친 바가 없었던

80

건지, 아니면 너무나 편한 직장에 다니는 통에 배가 불렀기 때문인지 모르겠지만 언론계에 대한 미련을 차마 버리지 못했다. 때문에 언론 고시 커뮤니티에 기자 모집 공고가 올라오면 일일이 지원했다. 대부분은 서류 단계에서 탈락했지만, 몇 번 최종 면접까지 간 적도 있었다. 연차를 써서 면접을 보고 오면 어김없이 불합격 통보를 받았지만 괜찮았다. 그런 도전의 궤적이 적어도 나를 살아 있는 존재로 만들어 준다고 믿었다.

지금 다니는 방송사의 채용 공고가 떴을 때에도 기계적으로 지원했는데, 기적적으로 합격했다. 막상 붙고 나니 정규직 채용을 전제로 하고 있기는 하지만 이 년 동안 계약직으로 근무해야 하는 게 마음에 걸렸다. 사측이 편의에 따라 얼마든지 말을 바꿀 수 있다는 것을 지난 경험을 통해 너무나 잘 알고 있었다. 기껏 잘 다니고 있는 회사를 그만두고 다시 불안정의 세계로 뛰어드는 게 불안했다. 그럼에도 불구하고 직장을 박차고 나올 수 있었던 것은 이 년이라는 정해진 기간이 있었기 때문이다. 때로는 기약이 없는 기다림보다는 끝이 정해진 실패가 편할 수도 있으니까.

그 이 년이라는 계약 기간 동안 예상치 못했던 많은 일들이 벌어졌다. 파업을 위해 자리를 비운 선배들을 대신해 나는 빠르게 현업에 투입되었다. 입을 닫고 귀를 닫은 채 그저 최선을 다해 일했다. 적을 만들지 않고 모두에게 선하려 노력했으며, 공평하게 곁을 주었다. 그런 종류의 기계적 공평함은 오로지 나를 위한 방어 기제라는 사실을 잘 알고 있었다. 나의 신념과 나의 마음과 나의 본심을 잊은 채 내가 어떻게 보일지만을 생각하며 살았다. 그러던 중 예상치 못한 행운이 내게 찾아들었다. 정치부 기자 시절, 자정이 넘도록 회사에 남아 있었던 나는 퇴근하던 도중 한 고급 일식집 근처에서 우연히 전직 검사 B와 맞닥뜨렸다. 그는 권력형 비리의 실마리로 지목됐으나 보름이 넘도록 잠적해 행방이 묘연한 상황이었다. 나는 순간 기지를 발휘해 핸드폰으로 동영상 촬영을 하며 도망치는 그의 뒤를 쫓았다. 거의 몸싸움에 가까운 분투 끝에 선명한 그의 모습과 짧은 인터뷰를 따내는 데 성공했다. 내가 핸드폰으로 촬영한 영상과 리포팅이 단독 보도라는 타이틀을 달고 여덟시 뉴스의 맨 첫 꼭지에 배치되었다. 비리의 당사자와 함께 나의 이름이 포털 사이트의 검색어 순위에 오르내렸다. 내가 찍은 영상이 '비리 검사의 빤스런'이라는 제목을 달고 퍼져 나갔다. 그해 말, 치열한 계약직 생활이 끝날 때쯤 내게 '주목할 만한 언론인상'이 수여되었다.

정권이 교체되고, 기존 사장의 임기가 끝났다. 새로 부임한 사장은 대통령의 동문이자 친정부 인사로 유명했다. 민영 방송국인 우리 회사에도 정치적 입김이 강하게 작용하고 있다는 걸 암암리에 모두가 알고 있었다. 파업이 끝났고 부당 전보를 받았던 선배들이 현업으로 돌아왔다.

정규직 전환을 위한 최종 면접을 볼 때, 신임 사장이 내게 마지막으로 한 말을 아직도 기억하고 있다.

"김 기자는 요즘 애들 같지 않네. 잘 웃고 밝고 사회생활도 능통

한 듯하고."

면접장의 문을 닫고 나오며 나도 모르게 웃음이 나왔다. 요즘 애들답지 않은 건, 또 뭘까. 함께 들어온 열한 명의 계약직 사원 중 정규직 전환이 된 사람은 나뿐이었다. 선배들은 그런 나를 두고 두 명의 사장 모두에게 '인정받은 것은 너뿐이라고, 이념과 체제를 초월한 인사라고 농담을 건넸다. 그런 말을 들을 때마다 나는 내가 이질적인 존재라는 사실을 더욱 체감할 따름이었다. 불과 얼마 전까지 나와 함께 웃고 떠들고 같은 사무실에 앉아 있던 동기들은 이제는 모두 없는 사람이 되었다. 그렇게 치열했던 일 년 십일 개월의 계약 기간이 끝났고 나는 새로운 신입 사원들과 함께 '두 번째' 신입 연수를 받게 되었다. 나에게도 기수라는 게 생겼다. 16기 신입 기자, 김남준. 그것은 내 앞으로 십오 년간 축적되어 온 수많은 선배들이 있다는 의미이기도 했다.

정규직이 된 이후에도 나는 계약직 때와 별반 다르지 않은 일들을 했다. 비슷한 방식으로 취재를 했고 기사를 썼으며, 비슷한 뉴스 프로그램을 맡았고, 비슷한 삶을 살았다. 그러나 나를 둘러싼 환경이 격변했다. 바뀐 사내 분위기에 맞게 많은 프로그램이 개편되었다. 여덟 시 뉴스의 새 앵커를 뽑는 공고가 사내에 나붙었다. 언감생심 지원해 볼 생각조차 하지 못했던 나를 독려한 건 남 선배였다.

"남준이 너 처음 들어왔을 때부터 딱 앵커감이라고 생각했어. 오디션 응시라도 해 봐."

인생의 경험이라고 생각하며 기대 없이 오디션을 보았다. 선배들을 제치고 내가 앵커로 기용되는 이변이 일어났을 땐 어안이 벙벙했다. 그 후로는 회사에서 나를 알아보는 사람이 부쩍 늘었다.

뉴스를 잘 보고 있다고 말하는 그들의 얼굴에선 묘한 거리감이 느껴졌다. 나만 느낄 수 있는 찰나의 쉼표, 지난 몇 년간 나를 항상 둘러싸고 있는 일종의 배타심이자 위화감. 어쩌면 이제는 아예 공기가 되어 버린 감정의 흐름이기도 했다.

황은채와 나는 사옥 10층에 있는 직원용 카페로 향했다. 내가 회사 근처의 그럴듯한 카페에 가자고 했으나, 황은채는 굳이 멀리 갈 필요 없다고 손사래를 쳤다. 카페에는 사람이 별로 없었다. 우리는 아래가 훤히 내려다보이는 통창 앞 명당 좌석에 자리를 잡았다. 황은채는 밝은 얼굴로 "이제 너 성공했으니 비싼 거 얻어먹어도 되지?"라고 말하며 자몽에이드를 시켰다. 그 시절 나를 버티게 해 준 황은채의 너스레가 반가웠다. 내 앞자리에 앉은 황은채의 표정은 적어도 그 시절보다는 훨씬 밝아 보였다.

"너 나가고 나서 나도 결국 한 달 만에 거기 때려치웠잖아."

"역시 그랬구나. 하긴 거기서 누가 버티겠냐."

"나중에 들어 보니까 매거진 C, 업계에서 유명했더라고. 헐값에 어린 직원들 뽑아 먹고 갈아 치우는 걸로."

"우리만 당한 일이 아니었네. 다행이라고 해야 할지 불행이라고 해야 할지…… 그나저나 너 이제 몸은 괜찮아?"

황은채는 매거진 C에서 나오고 나서 공황 장애가 나았으며 지금은 약도 끊었다고 했다. 그럼에도 불구하고 황은채는 아직도 가끔 그 시절이 꿈에 나온다고 했다.

"나 그 후로 단 한 번도 사회생활 못한다는 말을 들어 본 적이 없어."

"그래, 은채 너 잘하잖아. 보도 자료도 잘 쓰고, 성격 좋고, 커피 필터도 잘 갈고."

"말도 마. 거기 다니면서 우리 둘 다 드립 커피 장인 됐잖아."

"난 지금도 절대 드립 커피 안 마셔. 그때 질려서."

우리 둘 다 웃음이 터져 눈물까지 글썽이며 웃었다. 한참을 웃던 황은채가 갑자기 표정을 바꿔 내게 물었다.

"그런데 있잖아, 너는 괜찮아?"

"뭐가?"

"나는 아직도 그때 생각하면 너무 화가 나고 어이가 없고, 괜히 따지고 싶거든. 내가 뭘 그렇게 잘못했냐고. 우리한테 꼭 그랬어야 했냐고……."

"나도 비슷하지 뭐. 그치만 어쩌겠냐. 우리가 운이 없었던 거지 뭐."

"거기 그만두고 난 뒤로도 이상하게 난 네가 엄청 생각나더라? 이런 말을 하고 싶은데 할 사람이 아무도 없더라고. 근데 연락할 방법이 있어야지. 퇴사하자마자 전화번호도 바꾸고 SNS는 흔적조차 없고. 근데 모르는 새 이렇게 유명 인사가 됐을 줄이야."

"유명 인사는 무슨. 너도 알잖아. 그냥 죽지 못해 산다."

"엄살도 여전하고 말이야."

"사람이 어디 가겠냐."

"너 배서정 선배 소식 들은 거 있어? 소문에는 다른 회사로 옮겼다고 하던데."

"신기하네. 죽을 때까지 매거진 C 벽돌로 남을 것만 같았는데."

"거기 완전 망했잖아. 너 몰랐어?"

황은채의 말을 듣고 매거진 C를 검색해 보았다. 포털 사이트에 공식 홈페이지 링크가 남아 있긴 했지만 들어가 보니 빈 페이지였다. 검색창에 내 이름과 잡지의 이름을 함께 검색해 보니 기사 제목 몇 개가 떴다. 청담동에 막 오픈한 스타 셰프 D의 레스토랑, 도요타에서 출시된 새 자동차 시승기, 홍대 섹스 토이 숍 구매 후기, 십 년 만에 신작으로 돌아온 소설가 K의 인터뷰⋯⋯ 그중 어떤 글도 살아 있는 것은 없었다.

"진짜네. 아예 없어졌네."

"응, 없어. 이제 다 사라졌어."

황은채는 다 마신 자몽에이드 잔을 빨대로 휘휘 젓더니 갑자기 주머니에서 명함을 꺼내 내게 건넸다.

"아까 촬영하느라 정신이 없어서 깜빡했다."

명함에는 유튜브팀 팀장 황은채, 라고 되어 있었다. 그 직책이 못내 어색하고 심지어는 조금 감동적이기까지 해 나는 몇 번이고 반복해 같은 문구를 읽었다. 황은채는 내게도 명함을 달라고 했다. 나는 명함 지갑을 꺼내 새 명함 한 장을 주었다. 황은채는 명함을 주머니에 넣더니 차가 밀리기 전에 얼른 가 봐야 할 것 같다며 황급히 자리를 떴다. 나는 그녀를 엘리베이터 앞까지 배웅하고 다시 카페로 돌아왔다.

황은채가 떠난 자리를 물끄러미 바라보았다. 커다란 유리창 너머로 광장이 내려다보였다. 광장에 한 무리의 사람들이 현수막과 피켓을 들고 서 있었다. 이곳에서는 잘 보이지 않지만 아마도 공정 채용이나 일자리 미끼 규탄, 고용 정상화와 같은 단어들이 쓰여 있을 터였다. 그들은 작년 이맘때까지 나와 같은 사무실에 정장을 입고 앉아 있던 동료들이었다.

카페의 카운터 앞에 남 선배가 나타났다. 남 선배는 심각한 어조로 누군가와 통화를 하고 있었다. 큰 목소리가 아니었음에도 워낙에 또렷한 음성이라 무슨 말을 하는지 대충 알아들을 수 있었다. 아마도 최근에 분양받았다는 회사 근처 아파트의 잔금 처리 문제인 것 같았다. 남 선배는 커피가 나오고 나서도 한참 동안 카운터 앞에서 전화를 붙들고 있었다. 전화를 끊은 남 선배가 나를 발견하고는 곧장 내 앞에 와 앉았다.

"사무실 안 들어가고, 여기서 혼자 뭐 하나?"

"방금 전까지 황은채 피디랑 같이 있었어요."

"아까 그 유튜브 피디? 둘이 엄청 친해 보이더라."

"네. 오랜만에 만나는 거라 할 말이 많더라고요."

남 선배는 핸드폰으로 부산하게 뭔가를 보내더니 심각한 표정으로 내게 말했다.

"너 그거 아냐? 인생은 부동산이다. 이제 서울 시내에 아파트 사려면 신혼 특공 말고는 답이 없어. 덮어놓고 일단 결혼부터 해라."

뭘 안다고 다짜고짜 결혼을 해라 마라야. 괜히 사나운 마음이 들었지만 당연히 티를 내지는 않았다. 그저 "어디 결혼하기가 쉽나요."라고 웃으며 대답하고 넘겼다. 남 선배는 나쁘지 않은 사람이었고, 심지어는 롤 모델로 삼아도 될 만큼 꽤 좋은 선배였다. 가끔씩 회식을 하자고 조르기는 했지만 귀여운 강요 수준이었다. 그는 술을 마실 때마다 꼭 파업 때 얘기를 하며 울었다. 그의 눈물을 볼 때마다 측은한 마음보다는 그의 인생에 그만큼 큰 고비가 없었던 것 같다는 주제넘은 생각이 들고는 했다. 나는 (그 옛날 매거진 C에서의 경험 이후) 적어도 회사 사람들 앞에서는 과잉된 감정을 보여 준 적이 없었다. 하나 누구나 예상 가능하고 공감할 수 있는 수준의 통증을 딱 그만큼만 전시하는 것이 이곳에서는 유효한 전략인 것 같았다. 모두가 남 선배와 함께 눈물을 흘려 주고는 했으니까. 나 역시 이제는 사회생활 9단이 다 돼 좀체 타인에게 내 감정을 내어 주지 않는 법을 배우게 되었다. 그러나 이 자리까지 오면서 나도 모르게 누구에게도 공감받을 수 없을 종류의 눈물이 차오르는 날도 있었다. 나는 내 눈물의 방향을 정할 수 없어 가끔은 화가 났고 대개는 고독했다.

남 선배가 자꾸만 비껴가는 내 시선을 눈치채고는 고개를 돌려

창밖을 바라보았다. 시위하는 사람들을 안타까운 표정으로 보던 선배가 한숨을 내쉬었다.

"쟤들이 무슨 죄가 있겠냐. 윗사람들이 나쁜 놈들이지. 너무 마음 쓰지 마라, 너도."

"네, 선배님. 감사합니다."

"그래도 참 다행이지 않냐?"

"뭐가요?"

"네가 여기에서 우리와 함께하고 있다는 게."

나는 아무런 대답도 하지 못했다. 그저 멍하니 유리창 너머를 바라보며 생각했다.

여기와 저기, 또 우리와 우리가 아닌 것들을 가르는 선이 무엇인지에 대해.

남 선배는 나와 자신의 빈 커피 잔을 들더니 먼저 일어나겠다고 했다. 내가 대답할 새도 없이 입구 쪽으로 걸어간 선배는 플라스틱 컵과 종이컵을 분리해 버리고는 특유의 힘찬 걸음걸이로 빠르게 사라져 갔다. 언제나 정치적으로 올바르고 타인의 귀감이 될 법한, 그야말로 남 선배다운 행동이었다.

보도국의 사무실로 돌아와 나의 자리에 앉았다. 파티션에 붙어 있는 내 이름표를 손가락으로 쓰다듬었다. 새로 만들어져 아직 반질반질한 내 이름 세 글자를.

사무실은 한산했고, 나는 문득 황은채와의 대화가 떠올라 핸

드폰으로 배서정을 검색했다. 인스타그램에서 어렵지 않게 그녀의 흔적을 발견할 수 있었다. 배서정의 프로필명은 '라이프 스타일 매거진 F, 배서정 에디터'였다. 아래의 정보란에는 『マガジン F』ベ·ソジョン エディター-'라고 적혀 있었다. 피드에 올라온 사진을 훑어보니 매달 자신이 쓴 기사를 포트폴리오처럼 올려놓은 것이며, 이따금 등장하는 셀카 속 반듯한 정중앙 가르마까지 예전과 달라진 게 하나도 없었다. 피드의 가장 아래쪽으로 내려가 보니 매거진 C 시절의 사진이 나왔다. 출판 디자인 페어에 참가했던 날, 나와 배서정, 황은채가 나란히 부스 앞에 서 있는 사진이었다. 여느 때처럼 뚱한 표정의 배서정과는 달리 나와 황은채는 해맑게 웃는 얼굴이었다. 그 웃음이 아득하게 느껴져 화면을 꺼 버렸다.

검은 화면에 내 얼굴이 비쳤다. 미간이 잔뜩 구겨지고 신경질적인 표정이었다. 그 옛날 배서정이 자주 지었던 표정과 닮아 있는 얼굴. 나는 화들짝 놀라 버릇처럼 얼른 손가락으로 주름을 꾹꾹 눌러 폈다. 그럴 때면 나는 내가 아직도 배서정과 매거진 C의 영향권 안에 있음을 깨닫고는 했다.

매거진 C를 떠나고 딱 한 번, 배서정을 본 적이 있었다. 폭설이 내리던 날, 강남역의 회사에서 버스를 타고 집에 가던 길이었다. 눈 때문에 완전히 멈춰 버린 버스 안에서 나는 창에 기대 꾸벅꾸벅 졸고 있었다. 눈을 떴을 때 사위가 완전히 어두워져 있었고, 버스는 신사역 정류장을 목전에 두고 있었다. 차창 너머로 정류장에 앉아 있는 긴 머리의 여자가 눈에 들어왔다. 그녀는 고개를 숙인 채 뭔가를 보고 있었다. 파란 스웨터에 커다란 코트를 걸친 그녀의 무릎에는 커다란 잡지책이 펼쳐져 있었다. 무엇이 쓰여 있는지 잘 보이지 않았지만, 나는 그것이 매거진 C라는 것을 알 수 있었다. 멈췄던 눈이 다시 세차게 내리기 시작했다. 그녀의 정수리에 뽀얗게 눈이 내려앉기 시작했다. 그럼에도 불구하고 그녀는 오지 않는 버스를 기다리며, 어쩌면 버스가 오리라는 기대를 아예 저버린 것처럼 잡지만 뚫어져라 봤다. 당장 책 속으로 빨려 들어가 버릴 듯, 잔뜩 허리를 구부린 채, 그렇게.

꽤 오랫동안 나는 배서정과 매거진 C의 사람들을 원망했었다. 그들의 면전에 대고 신입 사원에 불과했던 우리에게 도대체 왜 그랬냐고 묻고 따지고 싶었다. 어느덧 나는 그때의 배서정과 비슷한 나이가 돼 버렸고, 딱 그만큼 나이 든 모습이 되었다.

서른한 살, 벌써 네 번째 신입 사원이 된 나는 스물세 살에 잡지사에 들어와 내 나이 무렵에 이미 팔 년 차 직장인이었던 배서정의 삶에 대해 생각한다. 나도 모르는 새 내 삶에 옮겨붙은 어떤 안간힘의 궤적을 말이다. 그리고 이제 나는 조금은 알 것 같기도 하다. 내가 배서정을 이해하기 위해 노력했던 만큼 배서정 역시 자신의 방식으로 나와 황은채를, 요즘 애들이라고 이름 붙여진 불가해의 영역을 이해하기 위해 노력했던 것일지도 모르겠다는 사실을. 어떤 종류의 이해는 실패하고 나서야 비로소, 삶의 자세로 남기도 한다. 내게는 그 시절이 그랬다.

정소현

2008년 문화일보 신춘문예에 단편 소설 「양장 제본서 전기」가 당선되어
작품 활동을 시작했다. 소설집 『실수하는 인간』(개정판 『너를 닮은 사람』),
『품위 있는 삶』, 중편 소설 『가해자들』 등이 있다.
젊은작가상, 김준성문학상, 한국일보문학상, 현대문학상을 수상했다.

엔터 샌드맨

1

자유 게시판의 4892번 글은 신고된 여러 글 중 하나였다. 수십 통이 넘어가는 쪽지에는 글 번호와 신고 사유가 적혀 있었다. 신고된 글 중 다수가 광고성이거나 싸움을 조장하는 것이었는데, 4892번 글은 사이트의 성격과 맞지 않다는 이유로 신고되었다.

'굿바이 샌드맨'은 도시 괴담이나 공포, 미스터리, 오컬트를 다루는 사이트였다. 그것은 지수가 회사에 다니던 시절 썼던 글을 모아 놓은 블로그에서 시작되었다. 고등학교를 졸업하고 5년이 지나 전문 대학에 진학했던 지수는 졸업과 함께 휴대폰 콘텐츠 제작 회사에 취직했다. 그곳에서 그녀는 2G 휴대폰에 서비스되었던 짧은 이야기를 썼다. 그녀는 무서운 이야기 담당이었고, 수많은 도시 괴담을 각색하고 재창작했다. 지수는 자신이 쓴 글들을 비롯

해, 자료 수집을 하면서 해외 사이트에서 찾아낸 괴담의 번역본과 자신이 본 미스터리 공포물의 리뷰를 개인 홈페이지에 올리곤 했다. 그때만 해도 방문객은 많지 않았지만 그들은 지수의 글에 공감의 댓글을 달거나 자신이 체험하거나 전해 들은 이야기를 남기기도 했다. 매일같이 불면에 시달리던 지수는 댓글을 읽고 일일이 답을 해 주면서 밤을 보내곤 했다. 무서운 이야기 속에 있으면 지수는 자신이 겪은 일 역시 스스로 만들어 낸 이야기들 중 하나인 것 같은 기분이 들었고, 세상이 원래 끔찍한 곳이라 그런 일을 겪은 것이 엄청난 일은 아닌 것일지도 모른다고 생각했다. 매년 적자를 보던 회사가 업종 변경을 해 퇴직을 하기 전까지만 해도 홈페이지는 그녀의 밤 일부를 차지하고 있었을 뿐 큰 의미는 아니었다.

퇴직을 하고 결혼을 한 뒤 한동안 잊고 있다가 오랜만에 홈페이지에 들어가 보고 그녀는 깜짝 놀랐다. 그사이 늘어난 방문객들은 자유 게시판에 글을 올리며 그녀가 돌아와 새로운 이야기를 풀어 놓기만을 기다리고 있었다. 인터넷이 상용화되자 방문객이 기하급수적으로 늘고 자료 역시 많아졌기에 그녀는 도메인을 구입해 홈페이지를 다시 열었다. 그녀처럼 밤에 잠들지 못하는 사람들이 '굿바이 샌드맨'에 모여들어 글을 올렸다. 남들이 체험했다고 하는 기이하고 무서운 일들은 지수에게 이상한 안도감을 주었고 그들과 연대감을 느끼게 해 주었다. 이혼을 하고 혼자 살게 되면서부터 '굿바이 샌드맨'은 그녀의 삶 전부를 차지하게 되었다. 남편도 자식도 없고 만나는 사람조차 없었지만 지수는 전혀 외롭지 않았다. 이십 대 시절처럼 삶이 두렵거나 공허하다고 느낄 겨를도 없었다. 글을 쓰기 시작했을 무렵 지수는 새로운 아이디어를 찾아 여러 자료와 다른 사람들의 이야기를 흘끔거리기도 했으나 이제 그러지 않아도 충분히 새로운 이야기를 써낼 수 있었다. 지수는 사람들이 무엇을 무서워하는지 잘 알고 있었고, 평범한 소재를 어떤 식으로 이야기할 때 공포를 유발하는지도 알게 되었다. '굿바이 샌드맨'은 7년 만에 회원과 비회원을 합쳐 일일 방문객 수가 삼천 명이 훌쩍 넘어가는 사이트로 발전했다. 하루에 올라오는 글의 수가 적지 않았고 댓글이 수없이 달리곤 했지만 지수는 하나 놓치는 법이 없었다. 신고를 하면 즉시 처리되고 사소한 문의에도 곧바로 답글이 달렸기에, 회원들은 관리자가 분명 여러 명일 것이라고 생각했다. 잠은 거의 자지 않고 앉아서 잠깐 졸곤 하는 지수의 수면 습관은 홈페이지 관리자로서 큰 미덕이 되었다.

신고된 4892번 글은 이미 읽고 넘겨 버린 것이었다. 글의 작성자는 자신이 대형 사고를 일으킨 범인이라고 고백했다. 피해자 행세를 하며 그것을 숨긴 채 살아왔지만 결국 그 대가로 아내와 자식을 잃었고, 자신도 곧 죽음으로 속죄를 할 생각이라고 써 놓았다. 네 줄 남짓했던 그 글은 써 놓은 분량만큼의 정보도 전달하지 못하는, 부실한 데다 감상적이기까지 한 요약본 같았다. 지수는 게시판에서 사춘기 아이들이 쓴 것 같은 이런 글들을 자주 보곤 했다. 예를 들자면 자신에게 귀신을 볼 수 있는 능력이 있다든가, 임사체험이나 유체 이탈 같은 기이한 경험을 했다는 이야기들과 미제

살인 사건의 범인이 자신이라든가, 자기 아버지가 어떤 사건의 범인인 것을 알고 있다거나, 범죄나 자살을 예고하는 종류의 글이었다. 모두 허세 가득한 글이긴 했으나 기이한 이야기에는 많은 사람들이 흥미를 보이며 자신의 체험을 댓글로 달아 서로 공유했던 반면, 실제 범죄와 관련된 글에는 악의적인 댓글이 달리기 시작해 어느새 싸움으로 번지곤 했다. 세월이 지나면서 회원들은 자체적으로 여러 가지 이유를 들어 후자의 글을 금지하는 규칙을 만들었다. 이제 그런 글은 게시판에 올라오기가 무섭게 신고되어 사라지기에 회원들의 눈에는 잘 띄지 않았다. 지수는 4892번 글에 담긴 위악적인 허세가 회원들의 심기를 건드렸을 거라고 생각했다. 댓글도 달리지 않았던 데다 내용도 위험해 보이지 않아서 그냥 두어도 상관없을 것 같았지만, 신고가 들어온 이상 글을 삭제할 수밖에 없었다. 지수는 그 후로 몇 번 같은 글을 게시판에서 보았고, 신고 여부와 관계없이 지우곤 했다. 얼마 뒤에 신고된 4976번 글을 읽지 않았다면 지수는 삭제했던 그 글들을 대수롭지 않게 생각했을 것이다. 4976번 글에는 4892번 글에 뭉뚱그려져 담겨 있던 이야기가 자세히 드러나 있었다.

2

4976   22년 전 참사의 범인입니다   작성자: 샌드맨

22년 전 5층 건물이 붕괴되어 수많은 사람들이 죽은 사건을 기억하십니까?

철거를 앞둔 건물이 한순간에 무너지면서 지하의 뮤직비디오 감상실 '뮤직 스테이션'에 있던 십여 명의 청소년들이 사망했습니다. 그 사고의 원인은 건물의 부실 공사와 노후로 인한 붕괴였습니다. 그 건물은 주택만 지어 왔던 십장 출신 업자가 날림으로 처음 지은 빌딩이었는데 붕괴될지도 모른다는 진단을 받고 곧 철거될 예정이었습니다. 다른 층의 임차인들은 모두 나갔지만, 권리금이 아까웠던 지하의 음악 감상실만 남아서 계속 영업을 하고 있었습니다.

그 당시 저는 고등학교 3학년이었습니다. 저는 수학 능력 시험을 본 첫 세대였는데 그해에만 두 번의 시험을 보았습니다. 두 번째 수능과 내신에 반영되는 마지막 중간고사가 끝난 뒤, 논술 고사를 보지 않는 학생들은 결석을 하거나 출석만 부르고 학교 밖으로 나갔다가 종례 시간에 맞춰 들어가곤 했습니다. 저도 연극 영화과 연출 전공으로 진학을 할 생각이어서 논술 고사를 준비하지 않아도 됐기에 학교를 자주 빠져나와 그 건물에 있는 뮤직 스테이션에 가곤 했습니다. 물론 진짜 모범생들은 그러지 않았겠지만, 대부분의 아이들이 그랬고 학교에서도 슬쩍 눈감아 주곤 했습니다. 이렇게 장황하게 쓰는 이유는, 사고 현장에서 사망한 학생들이 결코 문제아들이 아니라는 것을 알리고 싶어서입니다. 사고 후 매스컴은 사망자가 대부분 고등학생과 재수생이라는 것에 초점을 맞추었고, 사고가 십 대의 탈선과 방종으로 인해 초래된 것처럼 몰아갔습니다. 뉴스는 그 당시 유명했던 뮤직비디오 감상실들을 취재해, 대낮에 으슥한 감상실에 드나드는 재수생이나 고등학생 들을 인간 말종으로 취급하고 그들이 술과 담배도 모자라 본드와 마약에까지 손을 대고 있다고 매도했습니다. 그로 인해 유가족과 생존자 들은 큰 고통을 겪어야 했기 때문에 꼭 해명을 하고 싶었습니다.

어린 분들은 뮤직비디오를 왜 감상실에서 보았는지 의아하게 생각하실지 모릅니다. 지금은 휴대폰으로 무엇이든 찾아볼 수 있지만, 그 시절은 어떤 자료든 구하기 힘들었던 때입니다. 해외 뮤직비디오나 아트 비디오를 구하는 것이 힘들었던 데다 큰 화면으로 보려면 프로젝터가 필요했는데, 그것 또한 고가였기에 개인이 쉽게 구입할 수 없었습니다. 저는 69년 우드스탁 비디오를 보려고 그곳에 처음 갔습니다. 큰 스크린에 비치는 뮤직비디오를 보면서 낯선 사람들과 함께 노래를 부르던 것이 생각납니다. 담배를 한두 개비 피우거나 팝콘에 맥주 한 병 정도 먹었던 것이 죽어도 쌀 만큼 잘못된 일이었는지 지금도 잘 모르겠습니다. 넉 달 정도 뒤, 대학생이 되었을 때 담배를 물고 길거리를 활보하거나 말술을 마시고 길에서 자는 대학생을 문제라고 생각하는 사람이 아무도 없다는 것을 알고 얼마나 이상했는지 모릅니다.

그날 오후 뮤직 스테이션에서는 데니스 호퍼의 「이지 라이더」 감상회가 있을 예정이었습니다. 영화감독이 꿈이었던 저는 그 전설적인 영화를 보기 위해 그날 점심시간에 학교 담을 넘었습니다. 우드스탁, 지미 핸드릭스, 재니스 조플린, 이지 라이더. 그 시절 저의 키워드였습니다. 그곳에 들어가기 전 담배를 피우기 위해 건물 뒤편으로 돌아갔습니다. 교복을 입고 큰길에서 담배를 피울 정도로 대범하지 않았기 때문입니다. 그곳에서 아르바이트를 하던 형 한 명과 함께 담배를 피웠습니다. 건물 뒤편에는 조리용 LPG 가스통과 에어컨 실외기, 폐가구와 수리할 때 쓰고 남은 합판 같은 것들이 쌓여 있어 아주 지저분했습니다. 담배를 피우고 내려가 노래를 다섯 곡 정도 듣고 난 뒤에 가스 폭발음이 들리고 건물이 미세하게 흔들렸습니다. 대부분의 사람들처럼 저도 대수롭지 않게 생각했는데, 한두 명이 문을 향해 뛰어나가자 다른 사람들도 일어나기 시작했습니다. 문밖은 이미 불바다였고 연기가 자욱했기에 아무도 밖으로 나가지 못했습니다. 아무 이상 없던 천장이 단번에 무너져 내렸고, 사람들은 피하기는커녕 비명조차 지를 틈도 없이 잔해에 매몰되고 말았습니다. 저는 초등학교 때 지진 대비 훈련을 했던 것이 생각나 건물 귀퉁이의 테이블로 기어들어 가 웅크렸습니다. 천장이 무너져 내렸지만 테이블 상판 덕에 갈비뼈가 부러지고 전신 타박상을 입은 정도로 끝날 수 있었습니다. 저는 이틀 동안 건물 잔해에 매몰되어 있다가 구조되었습니다.

그 당시에 건물 붕괴로 인해 전기가 누전되고 가스가 폭발한 것이라는 이야기를 들었습니다. 저는 석연치 않았습니다. 천장이 무너지기 전 이미 불이 난 상태인 것을 보았거든요. 저는 그 불이 어디서 온 것인지 뒤늦게 깨달았습니다. 저는 담배를 제대로 끄지 않고 손가락으로 튕겨 버리는 습관이 있었습니다. 건물 뒤편에는 불에 탈 만한 것들투성이였고, 바삭바삭하게 마른 낙엽들이 바람을 타고 굴러다니고 있었습니다. 건조한 날씨 때문에 얼굴과 손이 버석거려 여러 번 비볐던 것도 기억합니다. 정말 고의는 아니었고 그때 당시는 정말 몰랐지만, 분명히 제 잘못으로 인한 사고였습니다. 늦게라도 자수를 해야 했겠지만 저는 너무 어렸고 비겁했기에 두려웠습니다. 함께 담배를 피웠던 형도 죽어서 제가 그곳에서 담뱃불을 튕겼다는 것을 알고 있는 사람은 아무도 없었습니다. 저만 입을 다물면 다 괜찮아지고, 곧 잊어질 줄 알았습니다. 물론 지금쯤 사람들은 그 사고를 잊었을 것입니다. 유가족들도 잃은 가족을 생각하는 시간이 많이 줄어들었을 것입니다. 하지만 저는 여전히 사고 현장에 있습니다. 잠자리에 누워 눈을 감으면 멀리서 가스 폭발하는 소리가 들리고 천장이 무너져 내립니다. 제 몸은 콘크리트 덩어리에 압박을 당해 숨을 쉴 수가 없습니다. 멀리서 사람들의 신음 소리가 들리다가 하나둘 사라집니다. 그것은 매일 밤 반복되는 일입니다. 저는 지금도 밤에 잠을 못 잡니다.

그 이후 이 나라에서는 상상도 못했던 큰 사고들이 많이 일어났고, 전 어떻게든 도움이 되고 싶어 그 현장으로 뛰어가곤 했습니다. 죽어도 좋다고 생각했고 누군가를 살려야겠다고 생각했지만, 현장에 가까이 접근하는 것도 쉽지 않았습니다. 제가 할 수 있는 일이라고는 캠코더로 현장을 기록하는 것뿐이었습니다. 저는 영화감독이 되지 못했습니다만, 지금도 큰 사고의 현장마다 뛰어다니며 기록하는 일을 하고 있습니다. 그곳에서 사람을 구하는 데 뛰어들기도 했지만 사람을 구하지는 못했습니다. 그럼에도 저는 최소한의 속죄를 하며 살아가고 있다고 착각했습니다.

저는 얼마 전 아내와 자식을 잃었습니다. 제가 받아야 할 벌을 가족이 받았다는 것을 깨달았습니다. 제가 속죄하는 일이라고 생각했던 것들은 자기만족이었을 뿐 정말 아무것도 아니었습니다. 하지만 죽은 사람들에게 용서를 구하는 방법을 모르겠습니다. 제가 열 번, 스무 번 죽을 수 있다면 그렇게 하겠습니다만, 그것도 모자랄 것이라는 사실을 알고 있습니다. 많이 모자라지만 그래도 죄를 알리고 죽는 것이 가장 큰 속죄라고 생각합니다. 열 번은 못 죽더라도 한 번은 죽겠습니다. 살아 있어 죄송했습니다.

re) 내다리내놔: 무섭지도 않고, 감동도 없고……

re) 고담고담: 범죄자는 감방으로, 관심 종자는 병원으로 ㄱㄱ

re) 니등뒤: 이런 사이트에 들어와서 왜 이런 글을 올리는지 이해가 안 가구요, 사죄의 글인지도 잘 모르겠구요, 감상적인 태도와 자기 연민 말고는 느껴지지 않구요.

　ㄴ, re) 충공깽: 그런 짓 하고 지금껏 잘 살아온 것 자체가 공포

　ㄴ, re) 너의목소리가들려: 죽고 기사 뜨면 그게 괴담 ㄷㄷㄷ

re) 엄마로보이니: 이 글은 곧 성지가 됩니다.

3

지수는 은하와 함께 구조되었다. 둘은 서로의 손을 꼭 잡은 채 건물의 잔해에 매몰된 상태로 일주일을 버텼다. 은하는 지수와 유치원부터 함께 다닌 친구였다. 둘은 언제나 붙어 다녔고, 말다툼 한 번 하지 않았다. 유순한 성격의 은하가 외골수에 고집이 센 지수를 많이 이해하고 양보했기 때문이었다. 지수는 은하와 같은 초등학교를 가기 위해 은하의 집으로 주소지를 옮겼고, 고등학교까지 같은 학교를 다녔다. 은하는 만화를 좋아하는 아이였다. 은하

는 언니의 만화책을 학교에 몰래 가지고 가 친구들과 돌려보곤 했다. 은하의 교과서와 노트의 공백에는 공주들의 얼굴이 그려지곤 했고, 쉬는 시간마다 연습장을 들고 그림을 그려 달라고 하는 아이들 때문에 화장실을 가지 못할 정도였다. 고등학교 때 그들은 연합 만화 동아리에 가입했다. 은하를 따라 들어간 지수는 그림을 잘 그리지 못했지만 스토리 작가 역할을 톡톡히 해 냈다. 부원들은 매달 동인지를 만들기 위해 뮤직 스테이션에서 모임을 가지곤 했다. 그날은 마지막 동인지 모임이 있었는데, 부원들이 학교에 나오지 않거나 무단이탈해 다른 날로 연기되었다. 지수는 논술 고사 준비를 하느라 학교에 남아 있었고, 은하는 미술 학원에 있었기에 취소 연락을 못 받고 모임 장소로 갔다. 다른 아이들처럼 낮 시간의 자유를 만끽하고 싶었던 그들은 약속 시간보다 두 시간 먼저 그곳에서 만나 선배와 친구들을 기다리기로 했다. 뮤직비디오를 실컷 보고, 만화도 그리며 단 하루의 일탈을 즐길 생각이었지만, 무언가를 즐겨 보기도 전에 그런 일을 당하고 말았다.

그들이 구출된 뒤에야 연락을 받을 수 있었던 부모들은 아이들이 살아 돌아온 것만으로도 다행이라며 안심했다. 그들은 다시 학교로 돌아가 학교를 무사히 졸업했다. 당시 대학에 만화과가 없어 차선책으로 시각 디자인과로 진학하려 했던 은하는 대학을 가지 않고 동아리 선배인 만화가의 문하생이 되었다. 부모님의 뜻에 따라 법학과로 진학하려던 지수도 방향을 틀어 문예 창작과로 진학했다. 둘은 죽음이 먼 곳에 있지 않다는 것을 체험했기에 정말 하고 싶은 것을 하며 살기로 했다. 몇 년간의 문하생 생활을 마치고 은하는 만화 월간지 공모전에 당선돼 만화가가 되었다. 학교를 졸업한 지수는 스토리 작가이자 어시스턴트 역할을 하며 은하와 함께 일했다. 매달 두 개의 잡지에 연재하는 것이 쉽지 않았지만 둘이 한 조가 되어 일하는 것이 즐거웠다. 마감을 하고 나면 함께 목욕탕에 다녀와 뮤직비디오를 보며 맥주를 마셨다.

부모들은 서른이 훌쩍 넘도록 결혼도 하지 않고 둘이 사는 것을 걱정했으나 둘은 그 생활이 만족스러웠고 더 바라는 것이 없었다. 둘은 서로가 아니면 함께 지낼 엄두가 나지 않았다. 그들은 불면에 시달렸고, 항상 집 안의 불을 켜 두었다. 불을 끄고 누우면 뜨겁고 축축한 땅속에 엎드려 있던 그 시간으로 돌아가 있는 것 같아 숨을 쉴 수가 없었다. 둘은 밤에 작업을 했고, 밝은 한낮이 되어야 안락의자에 앉아 잠시 졸곤 했다. 그들은 더 이상 뮤직비디오 감상실에도 가지 못했다. 비디오 감상실이 점점 늘어났지만 대부분 지하에 있어서 갈 엄두가 나지 않았으므로 거금을 들여 프로젝터를 사고 거실 벽에 스크린을 걸었다. 새로운 뮤직비디오를 구하는 것이 쉬운 일은 아니라, 그들이 좋아하는 비디오를 복사해 반복해서 돌려 보곤 했다.

온 동네가 갑자기 정전된 어느 밤, 둘은 암흑 속에 갇혀서 한 발자국도 움직이지 못했다. 현관 신발장 서랍에는 초가 들어 있고 거실 서랍에는 플래시가 들어 있다는 것을 알고 있었지만, 둘 다 책상 앞에 앉아 벌벌 떨기만 했다. 그들은 어둠 속을 더듬어 서로의 손을 찾아 꼭 잡았다. 땅속에서처럼 서로의 손은 큰 안도감을 주었다. 손을 맞잡고 그들은 불이 켜지기를 기다리며 그날 일어났던 사고에 대해 이야기했다. 그날 그들이 온전히 본 비디오는 겨우 엑스 재팬의 「엔드리스 레인」과 건스 앤 로지스의 「노벰버 레인」 뮤직비디오뿐이었다. 메탈리카의 「엔터 샌드맨」 전주가 시작되고 얼마 지나지 않아 기타 소리 너머로 건물 전체를 흔드는 묵직한 진동음을 들었다. 'Sleep with one eye open. Gripping your pillow tight. Exit light, enter night, take my hand. We're off to never never land⋯⋯ something's wrong⋯⋯ (정신 바짝 차리고 잠들렴. 베개를 꼬옥 껴안고 있어. 빛이 물러가고, 밤이 찾아오지. 내 손을 잡아. 우린 네버랜드로 떠나는 거야⋯⋯ 뭔가 잘못됐어⋯⋯)' 정말 뭔가 잘못되었던 것인지 후렴구를 배경으로 연쇄적인 폭발음이 들려왔다. 은하는 그 소리들이 비디오에 삽입된, 악몽으로 진입하는 효과음인 줄 알았다고 했다. 지수가 심상치 않음을 알아채고 자기 손을 잡고 문을 향해 뛰기 시작할 때까지도 은하는 메가데스는 보고 가야 하는데, 하고 물정 모르는 생각을 했다며 깔깔거리고 웃었다.

"그때 네가 내 손을 잡고 카운터 밑으로 뛰어들지 않았더라면 난 우왕좌왕하다 죽었을 거야. 너는 생명의 은인이야."

"맞아, 꼭 악몽 속으로 들어가는 것 같은 기분이 들더라. 아마 네 손을 잡고 있지 않았더라면 그렇게 오래 버티지 못했을 거야. 너랑 이야기를 나눠서 정신을 차릴 수 있었어."

"우리가 무슨 이야기를 했더라?"

"노래를 불렀지. 그리고 함께 기도도 했어."

"우리는 종교도 없는데 어디에다 대고 기도를 했을까?"

"엔터 샌드맨 가사에 기도문 같은 게 있잖아. 기억 안 나? '하나님, 이제 잠자리에 드오니 제 영혼을 지켜 주시길 기도 드립니다. 만약 깨어나기 전 제가 죽는다면 부디 이 영혼을 거두어 주시옵소서.' 잠깐, 이걸 왜 내가 기억을 하고 있지?"

은하는 잠이 들었는지 대답이 없었다. 지수도 따가워지기 시작하는 눈을 꼭 감았다. 그들은 서로의 손을 꼭 잡은 채 사고 이후 처음으로 어둠 속에서 잠이 들었다. 그러나 그것도 잠시뿐이었다. 지수는 은하가 소리를 지르며 자신의 손을 마구 흔들어 대는 것을 느꼈다.

"지수야, 일어나. 정신 차려야 돼."

눈을 떴을 때 지수의 눈앞에는 여전히 시커멓고 깊은 어둠이 놓여 있었고, 육중한 무언가가 납작 엎드린 그녀의 등을 무자비하게 짓누르고 있었다. 그녀의 몸은 녹아내릴 것처럼 뜨겁고 답답했다. 고개를 돌릴 수 없었지만 오른손이 배 밑에 깔려 있다는 것을 알 수 있었다. 그러나 은하의 손을 잡고 있던 왼손에는 아무 감각이 없어 도무지 어디로 뻗어 있는지 알 수 없었다. 사방에서 사람들의 웅성거리는 소리가 들리기 시작했다.

"김은하 씨 거기 있어요? 살아 있어요? 조금만 버텨요. 소리라도 질러 봐요."

지수는 안간힘을 써 대답을 하려 했지만, 꺽꺽거리는 소리만 겨우 낼 수 있을 뿐이었다. 지수의 감은 눈 속으로 빛이 쏟아져 들어왔고, 동시에 온몸을 누르던 육중한 무게감이 사라졌다. 지수는 금방 공중으로 날아오를 것 같았는데 왼손을 무언가가 꽉 잡고 있어 바닥에서 벗어날 수 없었다. 사람들은 지수를 꼭 잡고 놓지 않는 손 하나를 발견했다. 더 이상 맥이 뛰지 않는 그 손목의 주인 위로 콘크리트 잔해가 켜켜이 쌓여 있어 지수를 구조해 낼 수 없었다. 구조대원들은 지수에게 산소마스크를 씌우고 그 손을 떼어 내려고 안간힘을 쓰다가 손가락을 다 부러뜨리고서야 겨우 분리해 낼 수 있었다. 아름다운 만화를 그리게 되었을 은하의 손가락은 더 이상 세상에 없었다.

4

사고 생존자는 지수와 지훈 둘뿐이었다. 그들은 병실에서 처음 서로의 얼굴을 보았다. 이틀 만에 구조된 지훈은 잔해 더미 속에서 자신과 이야기를 나누었던 여자아이의 이름과 학교를 이야기하며 그녀가 아직 살아 있음을 알렸다. 그러나 그 목소리가 어느 방향에서 들렸는지 분간을 못 하고 엉뚱한 곳을 가리켜 구조하는 데 나흘이 더 걸렸다. 지수가 구조되었다는 이야기를 전해 들은 지훈은 지수가 깨어나기만을 기다렸다.

"약속을 지킬 수 있어 다행이야. 내가 안지훈이야."

지수는 그의 목소리가 자신과 잠시 이야기를 나누었던 목소리라는 것을 기억하는 동시에 은하와 지냈던 긴 세월이 모두 땅속에 엎드린 채로 꾼 꿈이라는 사실을 깨달았다.

　"나는 양지수. 그게 무슨 약속이었지?"

　지훈은 눈이 휘둥그레지더니 침상에 붙어 있는 이름표를 확인하고는 물었다.

　"김은하는 어디 있어?"

　이름을 듣기가 무섭게 지수는 눈물을 뚝뚝 흘렸고, 지훈도 소리 없이 울었다.

　뜨거운 어둠 속에서 지훈이 정신을 차리고 소리를 질렀을 때 돌아오는 소리들은 도무지 알아들을 수 없는 비명들이었다. 그 소리들은 서서히 사라지고 아주 가까운 곳에서 들려오는 단 한 명의 목소리만 남았다. 지훈은 '김은하'라고 하는 목소리와 통성명을 했다. 그곳에서 죽을 게 분명하다고 생각했던 지훈과는 달리 '김은하'는 당연히 구출될 것이라고 믿었다. '김은하'는 멀리서 자신들을 구하러 온 구조대의 소리가 들린다고 했는데, 지훈의 귀에는 '김은하'의 목소리와 이명만 들릴 뿐이었다. 지훈은 숨을 쉴 때마다 가슴이 찢어지는 듯한 고통을 느꼈고, 자신이 얼마 버티지 못할 것 같다는 생각이 들었다. '김은하'는 잠이 오기 시작하는 지훈에게 노래를 부르자고 했다. '김은하'는 갑자기 「엔터 샌드맨」의 도입부 기타 리프를 '딩 딩딩딩 딩 - ' 하고 부르기 시작했다. 지훈도 처음에는 드럼 프레이즈를 '툭툭툭툭' 하고 장난스럽게 시작했지만 이내 진지해져서 끝까지 진지하게 불렀다. 둘은 중간에 삽입된 기도까지 다 외우고 있는 서로를 확인하고 너도 공부와는 담을 쌓았겠구나 하며 웃었다. 둘은 입으로 불러 외웠던 기도문을 한 줄씩 해석하다가, 이곳에 매몰되기 전에 그 노래를 듣게 되어 종교가 없는 자신들이 기도라도 할 수 있게 되었다며 다행이라고 했다. 둘은 구출되지 못하더라도 간절한 기도 덕분에 신이 영혼을 거둬가 줄 거라는 데 동의했다. 그래도 혹시 먼저 구출되는 사람이 있다면 남은 사람을 꼭 구해 내기로 약속했다. 밖으로 나가면 제일 먼저 하고 싶은 것에 대해 이야기하던 중 '김은하'가 사라졌다. 볼륨을 줄이듯 서서히가 아니라 스위치로 전원을 꺼 버린 것처럼 갑자기 사라졌다. 그녀의 이름을 소리쳐 불렀지만 아무 대답도 들려오지 않았다. 지훈은 정적 속에서 홀로 버티며 자신은 다른 고통이 아니라 외로움 때문에 죽게 될 거라고 생각했다. 시간이 흐른 뒤 그 방향에서 아프다고 외치는 여자아이의 비명이 들려오자 그는 반가운 나머지 흐느꼈다. 다시 들려온 것은 '김은하'가 아닌 지수의 목소리였지만 그는 고통 때문에 목소리가 조금 변했을 뿐 사라지기 전과 같은 목소리라고 생각해 다시 이름을 묻지 않았다. 다시 돌아온 목소리와 함께 「엔터 샌드맨」을 불렀고, 그 목소리 또한 가사를 모두 알고 있었기에 다른 사람일 거라고 상상하지 못했다. 지훈은 '김은하'를 구하지 못했다는 자책감에 눈물이 멈추지 않았다.

"미안해. 약속을 못 지켜서."

"은하는 살아 있어. 내 친구라서 잘 알아. 여기는 아니지만 하여튼 살아 있어."

지수의 말을 들은 지훈은 그곳이 어디인지 알면 당장 달려갈 기세였다. 그러나 지수에게서 은하와 함께했던 시간에 대한 이야기를 들은 지훈은 지수의 손을 꼭 잡고 안쓰러운 눈으로 바라보았다. 지수는 은하와 십여 년 함께 지냈던 꿈속의 시간이 현실 같았고, 자신만 살아남은 이 시간은 악몽 같았다. 세상의 겉모습은 그대로인 것처럼 보였지만 사실은 현실을 그대로 복제해 놓은 모조품이라는 생각이 들었다. 그도 그럴 것이 부모도 언니도 미묘하게 달라졌다. 대하는 태도는 비슷했지만 뉘앙스가 달라진 것을 지수는 느낄 수 있었다. 언제나 지수를 지지해 주었던 부모는 그녀를 경멸했고, 지수를 누구보다도 깊이 이해해 주었던 언니는 그녀를 한심하게 생각했다. 지수는 어차피 깨어나면 모두 사라질 헛된 것들이라 생각했기에 그들이 어떻건 상관없다고 생각했다. 지수는 이 나쁜 꿈에서 깨어나기 위해 깊이 잠들었다가 깨어나고 싶었지만, 잠이 살짝 들기라도 하면 묵직한 덩어리가 등을 내리눌렀고 무언가가 왼팔을 아프게 잡아당겨 금세 깨어나곤 했다. 극심한 불면을 얻은 지수는 은하와 함께 지내던 일들을 밤마다 기억해 써 내려갔다. 그 삶은 십 년에 육박하는 세월이었기에 모두 기억할 수가 없었으나 어렴풋이 떠올리는 것만으로 행복한 기분이 들었다.

글을 쓰고 있으면 집 앞으로 지훈이 찾아왔다. 그 역시 잠을 통못 자는 데다 밤이면 방에 혼자 있는 것마저 힘들어 밖으로 나가곤 했다. 지수는 그와 함께 매일 밤길을 산책했는데 그것이 유일한 외출이었다. 그들은 가로등이 환하게 켜진 대로변을 해가 뜰 때까지 걸으면서 이야기했다. 자신들이 좋아했지만 이제는 하지 않는 것들과 별것 아닌 비밀에 대해 이야기하곤 했다. 지훈은 아버지와 한증막에 가는 것을 좋아했지만 더 이상은 하지 않았고, 시끄러운 음악을 듣지 않게 되었다. 특히 메탈리카의 「엔터 샌드맨」은 사고의 배경 음악 같아서 듣지 않는다고 하며 웃었다. '김은하'와 불렀던 「엔터 샌드맨」과 그녀를 구해 내지 못한 것에 대한 죄책감에 대해서는 말하지 않았다. 지수는 늘 무언가를 열심히 했지만 이제는 아무것도 하지 않는다고 했다. 이 세계는 자신이 꾸는 악몽의 세계이므로, 곧 깨어나 은하를 만날 거라는 생각을 여전히 하고 있다고 지훈에게 고백했다. 그렇게 말하면서 지수는 '너도 헛거야'라고 말하는 것 같아 지훈에게 미안한 기분이 들었다.

아무리 생각해 봐도 지수는 자신이 살고 있는 곳이 진짜 세계 같지가 않았다. 이곳에서는 믿을 수 없는 사고가 너무 자주 일어났다. 무너질 수 있는 것들은 모두 무너져 내렸고, 폭발하거나 뒤집히고 추락하는 일들이 반복되었다. 거대한 백화점이 무너져 수많은 사람이 매몰되었다는 뉴스를 접했을 때 지수는 이런 세계가 현실일 리 없으며 자신이 자각몽 안에 있다는 것을 확신했다. 이 세계는 자신이 경험했던 무너지는 건물의 이미지가 만들어 낸 가짜 세계이고 꿈에서 깨어나면 사라질 거라는 이상한 결론에 도달했다. 여기서 깨어날 방법을 도무지 찾을 수 없었지만 해 볼 수 있는 것은 다 해 보고 싶었다. 은하와 함께 있던 그 밤처럼 어둠 속에서 깊은 잠에 빠지면 다시 그곳으로 돌아갈 수 있을 것 같았다. 지수는 그 밤 찾아오지 않는 지훈의 호출기에 번호를 남겼다. 982음성 메시지가 없던 시절에 쓰던 '굿바이'라는 의미의 숫자 용어. 통화라도 하고 싶었는데, 그에게서는 아무 연락이 없었다. 이 꿈에서 깨면 그가 없는 세계로 갈 것이기에 마지막 인사라도 하고 떠나고 싶었다. 지수는 병원에서 처방해 주었지만 효과가 없어서 먹지 않고 남겨 둔 수면제를 먹었고 한 번도 꺼 보지 않은 전등을 껐다. 몸은 물에 젖은 솜처럼 늘어지는데 정신은 점점 말똥해졌다. 약을 조금씩 더 먹어 봐도 잠은 오지 않고 감각만 예민해져 온갖 소리를 다 들을 수 있었다. 거실 건너편에서 들려오는 부모님의 이야기 소리, 옆집 아이의 노랫소리, 멀리 지하철이 지나는 소리, 앰뷸런스가 달려가는 소리, 사고 현장의 비명과 굉음, 구조대원들의 긴박한 목소리, 그 모든 것들이 귓속으로 빨려 들어와 머리가 부풀어 오르는 것 같았다. 지수는 그렇게 견디다가 머리가 터지기라도 하면 여기서 깨어날 수 있을 것 같았다. 그러나 그 소음들 가운데서 「엔터 샌드맨」의 전주를 찾아낸 그녀는 천장이 무너져 내리는 환영과 잔해에 깔리는 환각에 사로잡혀 자신도 모르게 소리를 질러 댔다. 비명을 지르며 창틀 위로 올라서고 있는 그녀를 본 부모는 병원에 입원시키는 것이 딸을 살리는 일이라고 생각했다. 그녀가 죽으려고 한 것이 아니라고 설명했으나 아무도 믿지 않았다.

그가 면회 오기만을 기다리던 지수는 편지를 받았다. 현장에서 구조를 돕고 있어 자리를 비우기 힘들다며, 찾아올 때까지 잘 지내고 있으라는 편지였다. 그리고 마지막에 어쩌면 굳이 편지를 보낸 이유였을지 모르는 한 문장이 쓰여 있었다. '이게 현실이야.' 봉투 속에는 사고 현장을 찍은 여러 장의 사진이 동봉되어 있었다. 지수는 그 끔찍한 폐허 속에 자신이 있었다는 사실과 몸으로 경험했던 고통과 공포가 여전히 생생히 살아 있는 것을 보며 어쩌면 이 세상이 가짜가 아닐 수도 있다고 생각했다.

퇴원을 하고 이 세계의 시민으로 살아가는 동안 입에 담을 수 없는 끔찍한 참사가 여러 번 일어났다. 그때마다 지훈은 현장으로 달려가 구조 활동을 도왔고, 지수에게 사진과 동영상을 보내왔다. 사진과 동영상은 우편에서 이메일로, 휴대폰으로, 점점 진화된 형태로 전송되었다. 그것들은 지수에게 그런 고통이 실재했고, 이 세계가 명백한 현실이라는 것을 상기시켰다. 매번 현재화되어 생생하게 살아 올라오는 부정적인 감정과 감각들은 역설적으로 그녀가 이 삶을 긍정하도록 만들었다. 생활의 변화 역시 이 삶이 꿈이 아니라는 것을 오랫동안 지치지 않고 증명해 주었다. 지수는 은하와 함께했던 삶에서는 본 적 없는 것들을 종종 목격하게 되었다. 1998년 히데가 죽고 엑스 재팬이 해체됐다. 1999년에는 종말론자들의 집단 자살 소동이 일어났다. 음악 감상실이 폐장되고, 인터넷에서 언제든지 보고 싶은 비디오를 찾아볼 수 있게 되었다. 지수는 죽은 히데의 뮤직비디오를 보았고 뚱뚱한 중년이 된 액슬 로즈와 머리카락을 짧게 자른 메탈리카 멤버들의 인터뷰를 보았다. 서른 살이 되기도 전에 만화 잡지가 폐간되고 웹툰이 등장했다. 은하의 작품이 연재되던 잡지들은 모두 세상에서 사라진 것들이었다. 지수는 은하와 함께했던 삶이 어린 시절 자신이 아는 것들을 조합해 만든 꿈이었다는 것을 인정할 수밖에 없었다. 이 삶에서 벗어날 수 없고, 은하가 죽었다는 것을 이미 알고 있었으나, '어쩌면 그게 아닐지도 모른다.'라는 실낱 같은 희망은 쉽사리 버려지지 않았다.

그런 세월을 지내고 나니 지수는 모든 것이 자신이 겪은 일들이 아니라 마치 3인칭의 시선으로 지켜본 사건처럼 기억되었다. 꿈꾸었던 것과 실제 겪은 것이 모두 뒤죽박죽 섞여 있었는데, 자신이 일하면서 지어낸 무서운 이야기만큼도 실감이 나지 않아 어느 것도 실제로 일어난 일이라고 믿기 어려웠다. 그것은 뮤직 스테이션이 서 있던 장소를 지나갈 때 느꼈던 감정과 아주 유사했다. 건물이 있던 자리는 원래 아무것도 없었던 것처럼 넓은 길이 되어 있었다. 모든 것을 덮어 버린 콘크리트 포장도로 위로 사람들이 평온하게 지나다니고 있었다. 꿈같이 기이한 풍경이었다.

5

지수는 '샌드맨'이 지훈이라는 것을 확신했다. 사고 현장에서 일어난 일을 자세히 알고 있고, 영화감독 지망생이었던 사람이 그 말고 있을 리가 없었다. 살아남은 것은 둘뿐이니 당연한 일이었다. 「엔터 샌드맨」을 들을 수 없게 된 둘은 하필 그 시간에 그 음악을 틀어 모두를 영원한 잠에 빠지게 만든 디제이를 원망했다. 둘은 엉뚱하게도 극심한 불면의 원인을 거기서 찾았다. '샌드맨이 못 들어오는데 어떻게 잠을 자겠어. 그놈도 그때 죽은 게 분명해.' 돌팔이 점쟁이처럼 말하는 지수의 말은 농담이라기엔 함량 미달이었고, 진담이라기엔 지나쳤다. 그러다가, 구조된 것이 둘뿐인데 그걸 농담이라고 하고 앉아 있는 자신들의 행동이 부끄럽고 죄스러워 입을 다물었다. 어색한 침묵을 깨고 지훈이 말했다. '내가 너의 샌드맨이 되어 줄게.' 평소라면 입에 담기 부끄러운 문장이었겠지만, 그 순간 그 장소에서 청혼 멘트로는 적절했던 것인지 지수는 장난으로 받지 않고 말 그대로를 받아들였다. 두 사람 모두 누가 누구를 구제할 수 없을 정도로 엉망이었으나 지훈 쪽이 조금 더 나았고, 둘이 함께 밤거리를 산책할 수 있다면 평생 같이 살아도 좋을 것 같아 지수는 결혼을 결심했다. 그러나 함께 살면서 알게 된 것은 서로가 고통을 공유할 수 있는 유일한 사람인 동시에 그 사고를 잊지 못하게 하는 존재라는 사실이었다. 그들은 지수가 직장을 퇴직하고 결혼해 딱 십 년을 함께 살고 헤어졌다.

그들이 헤어진 것이 처음은 아니었다. 열아홉 살에 만난 그들은 결혼을 한 스물일곱 살까지 여러 번 헤어졌다가 다시 만나곤 했다. 결혼하기 전 둘은 연인이 아니었으므로 헤어졌다고 할 것도 없었다. 한동안 연락을 하지 않은 것도, 다시 연락을 한 것도 지훈이었다. 길면 일 년, 짧으면 한 달도 되지 않아 지훈은 다시 지수의 집

앞으로 찾아왔다. 지훈의 연락처가 집 전화에서 호출기로, 휴대폰으로 바뀌는 동안 지수는 한 자리에 그대로 있었다. 지수는 이혼도 어쩌면 그때와 다를 바 없을 거라고, 그가 다시 돌아올지도 모른다고 생각하며 둘이 함께 살던 집에서 평소처럼 지냈다. 그러나 그는 다시 돌아오지 않았고 연락도 하지 않았다.

지수는 홈페이지에 그가 방문할 거라고 생각해 본 적이 없었기에 적잖이 당황했다. 지훈은 지수의 홈페이지를 말도 안 되는 가짜 이야기를 모아 둔 쓰레기장 같은 사이트라고 하며 노골적으로 싫어했다. 그는 지수의 일상을 장악해 버린 그 가짜 세계가 위험할 뿐 아니라 언젠가는 지수가 그쪽으로 완전히 도피해 버릴지 모른다고 생각했다. 그는 싸워서라도 그녀를 끌어내고 싶었기에 그곳에 흠집을 내야 했다. '진짜 무서운 건 저런 가짜 이야기가 아니라 우리가 단둘이 살아남아서 여전히 그날 속에 있는 거잖아.' 지수는 화내지 않고 그가 그렇게 생각하는 것도 당연하다며 고개를 끄덕거렸다. 지훈은 그녀의 관대함을 자신에 대한 사랑으로 받아들였으나 사실 지수는 그가 어떻게 말하건 간에 신경 쓰지 않았고 다툼으로 인해 시간을 빼앗기고 자신의 마음이 불편해지는 것이 싫었을 뿐이다. 지수의 유일한 관심사는 '굿바이 샌드맨'이었다. 얼굴도 모르는 사람들의 거짓일지도 모르는 이야기들이, 자신이 지어내는 이야기가, 또 그것에 줄줄이 달리는 댓글이 그녀의 공포와 외로움을 덜어 가 주었다. '굿바이 샌드맨'의 관리자인 그녀에게 불면은 장애가 아니라 초능력이었다. 지수는 밤 산책을 나가자는 지훈에게 말했다.

"나를 돌보지 않아도 돼. 불면과 공포는 이제 스스로 감당할 수 있을 정도로 괜찮아졌어."

"괜찮아졌다니 기쁘다."

지훈은 그다지 기뻐 보이지 않았고 버림받은 사람처럼 쓸쓸한 표정을 지었지만 지수는 깊이 생각하지 않았다. 지수는 지훈이 언제 나가는지, 무엇을 먹고 입고 다니는지 전혀 신경 쓰지 않았고 그가 집에 들어오지 않아도, 한참 후 거지꼴로 돌아와도 아무 말 하지 않았다. 그럴 이유가 있을 거라고 생각했고, 그에 대해 깊이 알게 되어 골치 아파지는 것이 싫었다.

지훈이 헤어지자고 했을 때에도 지수는 그날이 올 줄 알았다는 듯 고개를 끄덕였을 뿐 이유를 묻지 않았다. 지수는 그동안 곁에 있어 주었던 그에게 고마움을 느꼈고 오래전 은하와 헤어졌을 때처럼 모든 일에는 끝이 있기 마련이라는 생각을 했다. 지수는 겨우 이제 괜찮아지기 시작했으나 그는 오래전부터 괜찮아 보였고, 자신보다 나은 사람이라고 생각했기에 헤어지고 나면 그가 더 잘 살 수 있을 거라고 생각했다. 그러나 솔직히 말하자면 미안하게도, 그가 홈페이지에서 이야기를 나누고 있는 사람들처럼 많은 이야기를 가진, 살아 있는 사람이라는 생각이 들지 않았고, 곁에 있으나 없으나 마찬가지였으므로 어찌 되든 상관없었던 것이다.

지수는 지훈이 언젠가 그 모든 참사의 진짜 범인이 자신이라고 이야기했던 것을 이제야 기억했다. 그는 다리를 지나가다가 교각이음새의 철판을 떼어 버린 적이 있다든가, 백화점 옥상에서 경중거리고 뛰어다니다가 바닥에 금이 가게 만든 적이 있다든가, 외가가 있는 광역시의 지하철을 탔다가 누군가에게 라이터를 건네 주었다거나 하는 것이 자신이 범인인 이유라고 했다. 그래서 그는 한 사람 정도는 자기 손으로 살려야 하는 게 마땅하다고 했다. 그녀는 얼마나 괜찮아져야 이런 이야기를 할 수 있을까, 과연 자신에게 그런 날이 올까 하는 생각과 지훈은 이미 그날에서 벗어나고 있구나 하는 생각에 휩싸여 쓸쓸해지곤 했다. 어디선가 사고가 날 때마다 그는 현장으로 달려가곤 했기에 누군가를 살리겠다는 염원을 이루지 않았을까 싶었는데, 게시판에 올라온 글을 보면 그렇게 하지는 못했던 것 같았다. 지수는 지훈이 건물 붕괴 사고가 자신의 부주의 때문에 일어난 것이라며 미안하다고 말했던 것은 기억하지 못했다. 그를 사로잡고 있던 그 말은, 말도 안 되는 농담들 속에 숨겨져 있었기에 지수는 대수롭지 않게 넘겨 버렸다.

　지수는 그가 댓글을 기대하고 있을까 싶어 어떻게 해야 할지 고민했다. 사이트의 성격에 맞지 않는다는 공지를 올리고 글을 지워 버리려다 다시 읽어 보았다. 지수는 그가 자신에게 사인을 보내는 것이 분명하다고 생각했다. 죽고 싶지 않다고, 자기를 좀 잡아 달라고, 자신이 지훈의 호출기에 982를 보냈을 때와 같은 마음을 행간에서 읽었다. 그리고 그 안에서 더 강렬한 메시지를 찾아냈다. 아내와 자식을 잃은 그는 다시 제자리로 돌아오고 싶다고 간절하게 사인을 보내는 듯했다. 지수는 이제 와 그가 죽는다고 해도 마음속에서 이미 죽은 사람이나 마찬가지였기에 아무 상관이 없을 것 같았으나 그에게 목숨을 빚졌으므로 외면해서는 안 된다고 생각했다. 고민 끝에 그에게 메일을 보냈다.

〈어찌 됐든 당신은 나를 살렸어. 내가 살아 있는 한 그 사실은 변하지 않아. 당신이 죽는다고 변하는 것은 없으니까 너무 자책하지 마. 그동안 당신이 어떻게 지냈는지 모르고 궁금하지도 않아. 다만 그 불행한 일들에 대해서는 위로의 마음을 보낼게. 시간이 지나면 다 잊을 수 있을 거야. 내가 다른 것은 해 줄 수 없지만 밤 산책은 함께할게. 외로워지면 우리가 살던 집으로 언제든 찾아와.〉

이제 메일을 훔쳐볼 아내가 없으니 조심해서 보낼 필요가 없었고, 딱히 숨겨야 할 마음 같은 것도 없었다.

그가 떠나고 두 달 정도 지닌 뒤 그에게 전화를 건 적이 있었다. 그의 전화번호는 없는 번호였고 직장도 그만두었다고 했다. 그녀가 아는 연락처는 이메일뿐이라 간단하게 메일을 썼다. 〈바뀐 전화번호를 알려 줘. 아니면 전화해 줘.〉 단 한 줄이었다. 통화가 되면 이제 돌아오라고 할 생각이었다. 하루도 지나지 않아 사진이 첨부된 답장이 왔다. 100이라고 쓰인 떡케이크 뒤편에 머리카락이 없는 아기를 안은 지훈과 젊은 여자가 함께 앉아 웃고 있는 사진이었다. 〈남편에게 연락하지 말아 주세요. 저희에겐 아들이 있어요.〉 사진과 두 줄의 문장이 지수가 다른 곳에 정신을 팔고 있던 사이에 일어난 모든 일들을 요약해 주고 있었다.

사진 속의 여자는 지수도 몇 번 만났던 이빛나라는 여자였다.

그녀는 신입 보조 작가였는데 회사와 지수의 집 사이에 산다는 핑계로 지훈의 차를 자주 얻어 탔다. 지수는 지훈의 승용차 보조석에 앉아 있던 그녀를 처음 보았다. 그녀는 눈을 마주치고 웃으며 인사만 할 뿐, 뒷자리로 옮겨 앉을 생각을 하지 않았다. 지수는 어린애에게 예절까지 가르치는 것이 귀찮아져 아무 말 않고 뒷자리에 앉았다. 빛나는 지수를 아랑곳하지 않고 지훈에게 아무것도 모르는 철부지처럼 굴며 지수와 띠동갑이라는 것이 신기한 일인 양 떠들어 댔다. 지훈의 입에서 '아무것도 모르는 순진한 빛나, 불쌍한 빛나.'라는 말이 나왔을 때 지수는 피식 웃고 지나갈 것이 아니라 둘의 관계를 눈치채고 사납게 굴었어야 했던 게 아닐까 하고 후회했다. 뒤늦게 배신감과 분노로 널뛰는 마음을 어찌할 바 몰라 지수는 다시 밤거리를 걸어 다녔다. 결혼 전에 그와 함께 걸었고, 결혼 후에 그가 혼자 걸었을 그 길은 지수에게 아무런 감흥을 주지 않았다. 그 길이 품고 있는 세월, 그곳에서 둘이 끊임없이 나눈 이야기, 그 모든 것들이 훨씬 오래전부터 별 의미가 없었던 것임을 깨달았다. 그리고 부부에게 일어난 아침 드라마 같은 그 일이 둘이 멀어지게 된 이유가 아니라, 최악이긴 하나 가장 도달하기 쉬운 결과였다는 것을 깨달았다. 그녀가 수십 번도 더 바라본 사진 속 그의 얼굴이 그를 알게 된 이래로 가장 행복해 보여서, 아기의 얼굴이 그와 너무 닮아 있어서, 자신과는 그런 행복을 함께 가질 수 없다는 것을 알고 있었으므로, 지수는 그를 자신의 삶에서 완전히 떼어 냈다. 오랫동안 지니고 있어 도무지 크기를 알 수 없었던 이상한 미안함이 겨우 떨어져 나간 뒤에야 지수는 미안함이 그에게 향하던 가장 큰 인간적인 감정이었다는 것을 알았다. 지수는 가끔 그가 다시 돌아오지 않는다는 것을 상기했으나 그것은 그에 대한 미련이 아니라 그와 함께 보낸 청춘에 대한 아쉬움이었다. 그런 마음 또한 담담하게 받아들여야 한다고 생각했다. 은하가 없는 삶이 아무렇지 않아진 것처럼 머지않아 지훈이 없는 삶도 아무렇지 않아지리라 믿었다. 정말 그랬다. 그렇게 되기까지 은하의 부재를 인정하는 것보다 훨씬 짧은 시간이 걸렸다.

6

　메일을 보낸 다음 날 밤, 현관 벨이 울렸다. 찾아올 사람이 아무도 없었기에 인터폰을 받으러 가지 않았다. 가족들이 집에 찾아올 리는 없었고, 연락하는 친구도 없었다. 혹시 사이비 종교인들의 포교 활동인가 싶어 아무런 응답을 하지 않았다. 벨 소리는 몇 번 더 울리다가 그쳤다. 시간이 한참 지난 뒤에야 지수는 지훈이 아니었을까 하는 생각에 메일함을 열어 보았다. 그는 아직 그녀의 메일을 확인하지 않은 상태였다. 그녀는 그가 아무 연락도 없이 불쑥 찾아올 만큼 뻔뻔한 사람은 아니라고 생각했다. 지수는 그가 이미 죽어 메일을 확인하지 못하는 것은 아닌지 아주 잠깐 걱정을 했으나, 결국 자기가 보낸 메일이 그의 결정에 어떤 영향도 미치지 못할 것이라는 것을 깨달았다. 전화라도 하고 싶었지만 번호를 몰랐고, 어디에 사는지 알 수 없어 찾아가 볼 수도 없는 관계였으므로 자기가 무언가를 할 수 있을 거라고 생각하지 않았다. 다음 날 다시 벨이 울렸을 때 지수는 얼른 인터폰을 켰다. 불이 환하게 들어온 화상 인터폰 화면에는 아무도 보이지 않았고 누구냐고 묻는 소리에 답하는 사람도 없었다. 문을 열어 봐도 밖에는 아무도 없었다. 며칠 동안 그런 일이 지속되었다. 엘리베이터가 올라오는 소리가 들리지 않았는데도 벨이 울렸고, 누군지 묻는 말에 아무도 답하지 않은 채 벨만 울려 댔다. 지수는 이상한 기분이 들어 인터폰의 전원을 꺼 버렸다. 그리고 며칠 뒤 그가 메일을 읽었다는 것을 확인하고 조금 마음을 놓았다. 자신이 그를 위해 할 수 있는 것은 그것이 다이고 그가 만약 죽기를 결심한다면 자신을 한 번쯤은 보러 올 거라고 생각했다.

며칠 조용하다 싶더니 다시 누군가가 찾아왔다. 벨이 눌러지지 않아 화가 난 건지 아주 신경질적으로 문을 두드려 댔다. 지수는 인터폰 전원 스위치를 누르고 화면을 켰다. 밝아오는 화면 안에는 퉁퉁 붓고 푸석한 여자의 얼굴이 한가득 들어 있었다. 누구인지 몰라 한참을 생각하다가 죽었다는 지훈의 아내인 빛나라는 것을 깨닫는 순간 화면을 끄려 했지만 덜덜 떨리는 손은 자꾸 엉뚱한 버튼을 눌러 댔다. 팔 년 전 보았던 빛나는 이름처럼 반짝반짝 빛났지만 지금은 이름이 무색하게 어두운 표정이 되어 있었고, 피부는 흑백 화면으로도 표시가 날 정도로 얼룩덜룩했다. '굿바이 샌드맨'을 운영하면서 온갖 무서운 이야기를 다 읽어 봤지만 죽은 사람의 얼굴을 마주한 일은 처음이었다. 죽은 아내가 남편의 메일을 타고 찾아오는 것은 상상도 못한 일이었다. 빛나는 계속 문을 두드리고 벨을 누르는 것도 모자라 문을 열라고 소리쳤다. 아파트 전체에 소리가 쩌렁쩌렁 울리자 앞집 노파가 밖으로 나와 왜 그러냐고 빛나에게 물었다. 지수는 인터폰 마이크에 대고 말했다.

"할머니도 보이세요?"

할머니는 얼빠진 표정으로 빛나를 한 번 쳐다보더니 지수가 들으라는 듯 말했다.

"안에 사람 있었네. 얼른 열어 봐요. 무슨 일인지 모르겠지만서도 찾아온 사람한테 그러는 거 아뉴. 난 또 새댁네가 이사 갔는 줄 알았네. 자 열어요. 어서."

지수는 오지랖 넓은 할머니 때문에 일떨결에 문을 열었다. 빛나의 머리카락은 반백이었고, 자그마한 몸은 눈 뜨고 못 볼 정도로 말라 비틀어져 포대 자루를 뒤집어쓴 것처럼 보였다. 지수가 들어오라고 하면서 슬쩍 잡아끌자 빛나는 힘없이 딸려 들어왔다. 빛나를 집으로 들이는 것을 보고 나서야 이웃 노파는 체머리를 흔들며 자기 집 현관을 닫았다. 빛나는 인사도 생략한 채, 다짜고짜 물었다.

"그 사람을 다시 만난 적이 있지요?"

그녀의 행동은 마치 남편과 외도를 한 상대 여자를 추궁하는 것 같았다. 너무 황당한 상황이라 지수는 그녀가 진짜 사람이 맞는지 의심이 갔다. 그녀가 이토록 생생하게 살아 움직이고 있는데 그는 왜 아내와 자식이 죽었다고 이야기했던 것인지 어이가 없었다. 지수는 할 말이 없어 입을 다물고 있었다.

"이제 와서 그런 메일은 왜 보냈어요? 왜?"

지수는 자신도 그렇게 추궁했어야 했던 걸가 생각했다. 역전된 이 상황에 피식 웃음이 났다.

"웃겨? 남편 죽고 과부된 게 고소해? 어린애랑 둘이 남아 고생하니까 좋아 죽겠지?"

지수는 그가 죽었다는 말이 믿어지지 않아서 아무 말도 할 수 없었다. 누가 죽었으며 누가 살아 있는 것일까, 이런 이야기를 게시판에서 읽어 본 것도 같은데 그것 때문에 꾸는 꿈일까? 지수는 빛나에게 무슨 말을 하는 건지 물어보고 싶었다. 당신이 죽은 거 아니었나요? 혹은 그가 죽었어요? 아니면 나는 살아 있는 게 맞나요? 이 모든 게 꿈인가요? 어떤 질문도 이상해서 입을 벌릴 수가 없었다. 지수의 침묵을 견디지 못한 빛나는 주먹으로 제 가슴을 두드리다가 펄펄 뛰며 악을 썼다.

"무슨 말이라도 해 봐. 당신은 그 사람이 왜 죽었는지 알고 있는 거지? 난 전혀 모른다고. 메일에 쓴 이야기는 다 뭐야? 자책이 뭐고, 불행한 일들이 뭐냐고. 대체 그게 뭐냐고."

그녀의 눈은 곧 튀어나올 것처럼 충혈되었지만 눈물은 흐르지 않았다. 지수는 그녀를 바닥에 앉히고 물을 한 잔 따라 주었다. 지수는 묻고 싶은 말이 많았지만 차마 입이 떨어지지 않았다. 물을 마시고 잠시 멍하게 앉아 있던 빛나는 한풀 꺾인 목소리로 말했다.

"언니가 그러는 거 이해해요. 먼저 사과를 했어야 하는 것, 저도 알아요. 그래서 여기만은 오지 않으려고 했어요. 하지만 정말 모르겠는데 물어볼 데도 없어요. 전날까지도 멀쩡하던 사람이 죽었어요. 우리는 늘 운이 좋았어요. 언니한테는 미안하지만, 쉽게 아들도 얻었고 사업도 아주 잘됐고, 정말 좋지 않은 일은 하나도 없었어요. 두 달 전, 그러니까 그 사람이 그렇게 되기 일주일쯤 전에 아들이 강에서 익사할 뻔했다가 살아났을 때만 해도 저는 우리 가족을 지켜 주는 신이 있다고 생각했어요. 그런데, 왜 이런 일이 일어났을까요. 아이 보는 데 소홀했던 제가 미웠던 걸까요? 말도 안되는 걸 알지만 그런 생각을 할 수밖에 없는 상황이잖아요. 아이가 죽거나 다친 것도 아니고, 강에 뛰어들어 아이를 구해 낸 것도 저였어요. 자기는 발만 동동 굴러 놓고서 나한테 왜 이런 걸까요. 저는 그에 대해 정말 아무것도 몰라요."

"헤어지고 연락한 적 없어요. 그 메일은 제가 뭔가 오해를 해서 보낸 거예요. 난 그 사람이 죽은 줄도 몰랐어요. 나도 그 사람에 대해 아는 게 없어요. 하지만 이 모든 게 당신 때문에 일어난 일은 아닐 거예요. 미안해요."

지수는 4976번 글에 대해 이야기할까 잠시 고민하다가 그녀에게 아무 도움이 되지 않을 것 같아 말하지 않았다. 빛나는 지수에게 무슨 말이라도 좋으니 그에 대해 말해 달라고 했으나, 지수는 입을 다문 채 지훈의 얼굴을 떠올릴 뿐이었다. 빛나는 원하는 대답을 전혀 듣지 못한 채 돌아가며 지수가 이런 식으로 자신에게 복수하고 있는 것 같다는 생각을 했다.

지수는 그녀가 돌아가고도 한참을 멍하게 앉아 있었다. 그가 어떻게 죽었는지 어디에 묻혔는지, 기일은 언제인지 그런 것들을 물어봤어야 했다고 후회했다. 그가 세상을 떠난 지 두 달이 채 되지 않았다는 이야기에 이상한 기분이 들어 홈페이지를 확인했다. 샌드맨의 글이 처음 올라왔던 날도 이미 그가 세상을 떠난 지 한 달도 더 지난 뒤였다. 지수는 모든 것이 여전히 현실 같지가 않아서 자신의 뺨을 쳐 보았다. 아프게 느껴지는 감각조차 헛것일지 모른다는 생각이 들었다. 그냥 있을 수가 없어 밖으로 나가 무작정 걸었다. 그와 함께 걷던 길을 걸으며 오랜 세월 함께 나눴던 이야기들을 떠올렸다. 아무것도 하지 못하고 발을 동동 굴렀을 그의 마음, 잠을 이루지 못하고 길을 서성거렸던 두 마음, 도무지 어떤 것도 실감할 수 없었던 자신의 마음을 생각했다. 그런 날이 정말 있었는지, 그가 정말 있었던 게 맞는지 믿을 수가 없었다. 이 모든 것이 잔해 더미 속에 엎드린 채로 꾸는 꿈이 아닐까, 은하도 지훈도 둘과 함께 있던 세계도 모두 헛것 아니었나 하는 생각에 혼란스러웠다. 지수는 자신의 뺨에 와 닿던 지훈의 솜털과 한참 만에 돌아온 지훈의 땀 냄새, 둘이 함께 나누던 사소한 농담, 둘이 먹던 형편없는 식사, 둘이 앉아서 졸곤 했던 낡은 가죽 소파, 그가 좋아했던 부드러운 무릎 담요를 떠올렸다. 그것은 그녀가 유일하게 속해 있던 아주 사소하고 구체적인 세계였다. 지수는 그 세계가 정말 있었다는 것을 깨달은 동시에 영원히 잃어버렸다. 그에게 한 번도 하지 못했던 말. 살아 있는 건 네 덕분이라는 말을 뒤늦게라도 전하기 위해 집으로 발길을 돌렸다.

4976번 글에 댓글을 달기 위해 홈페이지에 접속하자 검은 바탕 화면에 '굿바이 샌드맨'이라는 하얀 글씨가 떠올랐다. 그것은 그에게 보내는 인사처럼 보였다. 지수는 가슴 깊숙한 곳에서 뾰족하게 돋아 올라 온몸으로 가지를 뻗어 가다가 눈을 예리하게 뚫고 올라오는 통증을 느꼈다. 눈을 깜박이자 눈물은 나지 않고 모래 알갱이들이 서걱거리며 흘러내렸다. 그것은 사고 이후 처음 느낀 아주 명징하고 단단한 고통이었다.

김금희

2009년 한국일보 신춘문예에 단편 소설 「너의 도큐먼트」가 당선되어
작품 활동을 시작했다. 소설집 『센티멘털도 하루 이틀』,
『너무 한낮의 연애』, 장편 소설 『경애의 마음』, 『복자에게』,
연작 소설 『크리스마스 타일』 등이 있다. 신동엽문학상, 젊은작가상 대상,
현대문학상, 김승옥문학상 대상을 수상했다.

월계동 月溪洞 옥주

크리스마스이브에 중국에서 사과를 주고받는다는 걸 처음 알려준 사람은 예후이였다. 빛난다는 뜻의 한자를 두 자나 이름에 가지고 있던 사람. 예후이를 우리식 한자로 읽으면 엽휘曄輝, 빛나고 빛난다는 뜻이었다.

옥주가 예후이를 만난 건 중국으로 건너가 어학연수를 했을 때였다. 젊은 시절 내내 돌아다닌 나라들 중에 사실 중국은 가장 짧게 머문 곳이었지만 옥주는 거기서 자신이 변했다고 생각하고 있었다. 어떤 점이 어떻게 변했는지를 물으면 설명은 어려웠다. 그런 변화는 셀 수 있는게 아니니까. 계절처럼 전체를 휩쓸며 오는 변화만이 누군가를 바꿔 놓았고 옥주의 경우에는 바로 거기에 예후이가 있었다.

옥주가 그 당시 머문 대학의 기숙사는 동마다 방 크기와 컨디션이 달랐다. 가장 인기가 많은 건 1동이었다. 침대, 싱크대, 책상과

옷장 등의 집기는 다른 동과 같았지만 마룻바닥이었기 때문이다. 미리 유학을 다녀온 사람들은 학기가 시작되기 전 가능한 한 빨리 가서 1동을 선점해야 한다고 조언했다. 다른 동들은 타일 바닥인데 겨울이면 추위도 너무 춥다고. 실내에서도 추위를 양말처럼 신고 살게 될 거라고. 하지만 옥주는 정작 마음의 여력이 없어서 가장 나중에야 베이징에 도착했다.

그즈음 옥주의 상태가 좋지 않았던 건 비슷한 시기에 가까운 이들이 옥주의 곁을 떠나갔기 때문이었다. 마음으로 따르던 지도 교수가 세상을 떠났고, 늘 사이가 좋지 않았던 부모는 막내까지 성인이 되자 각자의 길을 갔다. 대학 시절 잠깐 연인이었지만 헤어진 이후 '베프'로 지냈던 현우와의 결별이 최악이었다고 옥주는 생각했는데, 시간이 흐른 뒤에도 왜 그렇게 됐는지를 이해할 수 없었기 때문이었다.

"선배, 세상은 선배가 내키는 대로 낙서해도 되는 백지장이 아니야."

마지막으로 만난 중랑천 징검다리 위에서 현우는 여름 달빛을 얼굴에 하얗게 받으며 그렇게 말했다.

봄 학기부터 베이징에 머문 옥주는 어떻게든 같이 간 사람들이 하는 것을 하려 했다. 수업을 가면 수업을 들었고 과제를 하면 과제를 했다. 조촐한 파티가 열리면 와인 같은 술을 들고 가 늦게까지 앉아 있었고 다 같이 노래방을 가면 따라가서 아무 노래나 불러댔다. 하지만 자기 자신이 아니라 허깨비 같은 것이 베이징 생활을 하고 있다는 느낌은 지울 수가 없었다. 실제 자신은 아직 서울의 월계동에 있는데 자기 비슷한 것이 여기까지 와 옥주를 흉내 내고 있는 듯한 일종의 자아 상실감 같은 거였다.

그런 느낌이 들면 옥주는 거기서 벗어나기 위해 어디든 쏘다니거나 잔뜩 취했다. 사람들을 만나고 약속을 잡고 마구 일을 벌이고 돈을 쓰며 어떻든 완전히 혼자가 되는 순간만은 피했다. 물론 그런다고 해결되지는 않았다.

예후이를 만난 날도 그런 날이었다. 같은 반 외국인들과 어울려 클럽에 있다가 새벽에야 돌아온 옥주는 기숙사 문이 열릴 때까지 벤치에서 기다리고 있었다. 베이징의 봄은 폭설도 종종 오는 날씨라 새벽에는 정말 추웠다. 옥주는 코트를 최대한 팽팽하게 당겨 몸을 감싸고는 고개를 푹 숙이고 눈을 감았다. 오늘은 퍽이나 즐겁지 않았나? 하는 생각을 했다. 클럽에서 만난 중국인 중에는 무려 다펑, 다프트 펑크 팬도 있었다. 세계적인 하우스 뮤직 듀오인 다프트 펑크는 십 대 때부터 옥주의 우상이었다.

옥주는 술에 꽤 취한 상태에서도 다펑 팬과 연락처를 교환했고, 또 만나자고 약속했다. 그러는 동안 내내 중국어를 썼으니 오늘은 정말 가치 있는 날이었다. 비록 지금은 너무 춥고 속도 좋지 않고 눈꺼풀과 함께 몸도 무겁지만 어쨌든 오늘은 노력한 날 아닌가. 노력이 중요하다. 어떻든 살려고 하는 노력이 중요해.

"쉬 야오 방 망 마?"

그때 어느 동에서 나왔는지 학생 하나가 지나다가 말을 걸었다.

도와줄지 묻는 말이었다. 기숙사 동에는 누구든 들어갈 수도 나올 수도 없는 시간대인데 누굴까 싶어 고개를 들었더니 하얀 점퍼를 목까지 꼭 채워 입은 여자애가 서 있었다. 옥주는 괜찮다고 말하기 위해 입술을 뗐다.

"하……이 하……오."

그런데 여자애는 가지 않고 서서 다시 한번 괜찮으냐고 물었다. 옥주는 자기 말을 안 믿나 싶어서 몸에 힘을 주어 똑바로 앉으며 같은 대답을 했다. 스스로는 똑바로 세웠다고 생각했지만 숙취로 머리가 돌고 있어서 어쩌면 자기 몸 한쪽이 무너져 있는지도 모른다는 불안이 들었다. 여자애는 잠시 주위를 둘러보더니 여기에 계속 있으면 안 된다고 했다. 그러면서 빠른 중국어로 말을 이었다. 옥주는 알아들을 수가 없었다. 아마 취한 상황이 아니더라도 매한가지였을 것이다. 유학에 필요한 HSK 점수를 간신히 따기는 했지만 현지인들과 대화하는 건 전혀 다른 문제였으니까. 옥주는 다시 한번 손을 휘이휘이 내저으며 그만 가 보라는 표시를 했다. 자기는 괜찮다고, 내버려 두라고.

얼어 죽게 될 텐데.

여자애가 다시 말했다. 그 말만은 알아들을 수 있었다.

죽어도 괜찮아요?

하……이 하……오.

나중에 친해지고 나서 예후이는 그때 옥주가 "하오."라고 대답했으면 자기는 그렇게 챙기지는 않았을 거라고 농담했다. 100퍼센트 괜찮다가 아니라 하이하오, 그럭저럭 괜찮다고 자꾸 답해서 자리를 뜰 수 없었다는 거였다. 옥주는 그 말을 듣고 "다행이네, 가끔은 그렇게 서로를 오해하는 게 낫기도 해."라고 했지만 예후이는 거기에 동의하지는 않았다.

예후이가 그 새벽에 기숙사에서 나올 수 있었던 건 학교 식당에서 근로 장학생으로 일했기 때문이었다. 예후이의 도움을 받아 엽차가 끓는 식당 부엌에서 추위를 피할 수 있었던 옥주는 아침 배식이 시작되는 시간에 비몽사몽 상태로 일어났다. 가기 전 연락처를 알려 달라고 하자 예후이는 와플을 바쁘게 굽고 있어서였는지 아니면 옥주 인상이 별로여서였는지 잠깐 망설였다.

"나도 되게 바쁜 사람이에요."

옥주는 다 잠긴 목에서 겨우 소리를 내며 말했다.

"귀찮게 굴지 않을게."

그것은 사실이었다. 옥주는 그저 자신을 동사의 위험에서 구해 낸 은인에게 맨정신으로 고마움을 전하고 싶었을 뿐이니까. 예후이가 프라이팬을 닦다가 그런 게 아니라며 손을 휘이휘이 저었다. 그리고 목소리를 높여, 'X'로 시작하는 자신의 위챗 아이디를 알려 주었다.

방으로 돌아온 옥주는 컵라면에다 물을 붓고 냉장고에서 꺼낸 다진 마늘을 한 숟가락 넣었다. 생각해 보니 그런 해장법은 현우가 가르쳐 준 것이었다. 언제나 찾아와 자기 고민만 늘어놓고 갔던 것 같은데 알려 준 것도 있네, 하는 생각이 들었다. 현우는 대개 옥주에게 뭔가를 묻고 답을 기다리는 편이었다. 둘의 연애가 얼마 가지 않아 흐지부지된 것도 그 때문이었을 것이다. 뜨거운 국물이 들어가자 비로소 몸이 풀렸다. 그리고 잠이 들었던 옥주는 오후 늦게 눈을 떴다. 수업이 끝나 교정은 소란스러웠다. 대학생이나 대학원생이나 학생인 건 마찬가지인데 이상하게도 일단 학부 밖으로 나오면 대개는 저런 활기를 잃어 갔다. 옥주 같은 대학원생들은 어딘가 어두웠고 맥이 빠져 있었다. 듣자니 중국 학생들도 다르지 않다고 했다. 생명 줄을 줄여서 가방 줄을 늘이고 있다는 웃기도 애매한 농담은 여기에도 있었다.

어쩌면 현우와 자신은 거기서부터 어긋났는지도 몰랐다. 옥주는 서른을 앞둔 지금까지 학생이지만 졸업한 현우는 어느덧 직장을 잡아 다른 궤도로 진입해 나아가고 있는 것. 거기서 둘은 이제 서로를 이해하지 않기로 결정을 내린 것이었다. 연인 사이로 헤어졌을 때보다 옥주는 더 아픈 마음이라고 생각했다. 이제는 볼 수 없게 되었으니까. 그러면 죽은 것이나 다름없었다.

하교하는 학생들의 소리를 더 듣고 있다가 옥주는 일어나 위챗을 켰다. 어제 만난 다펑 팬이 남긴 인사가 남아 있었다. 나중에 자신이 있는 상하이로 한번 놀러 오라는 내용이었다. 그 창에 너무 좋다는 이모티콘을 띄우다가 옥주는 예후이가 알려 준 아이디를 떠올렸다. 잊어버리지 않게 방으로 돌아오자마자 탁상 달력에 적어 놓은 것이었다. 친구로 등록하자 예후이의 정보가 떴다. 프로필 사진은 우산을 쓰고 있는 토토로였고 닉네임은 '이안거사易安居士', 편안한 사람이었다.

옥주는 그 후로 세 번 더 예후이를 만났다. 학교 안 카페에서, 기숙사 세탁실에서, 베이징역 근처의 KFC에서 점심을 함께 먹었다. 예후이는 이학부理學部 삼학년생이었고 전공은 수학이었다. '편안한 사람'이라는 위챗 닉네임과는 달리 옥주가 아는 어느 중국 학생보다도 아르바이트를 많이 하고 있었다. 학교 식당에서 일하는 것 말고도 입시 학원에서 아이들을 가르쳤고 주말에는 왕푸징의 카페에서 아르바이트를 했다.

학업 성적이 좋고 동기들에게 인기가 있어서 예후이가 삼호학생三好學生으로 자주 뽑힌다는 건, 한국에서 같이 유학 온 윤슬이 전해 주었다. 옥주와 예후이가 세탁실에서 반갑게 인사하는 모습을 보고 한 얘기였다. 윤슬은 옥주처럼 어학이 아니라 전공 유학을 왔기 때문에 대학에 관심이 많았고 잘 알았다. 학업뿐 아니라 학생들을 대상으로 한 설문 평가까지 합쳐 삼호학생을 선정하는데, 지덕체를 두루 갖춘 전인적 인간을 뽑는 취지라고 했다. 그렇다면 '체'는 어떻게 측정한다는 것인가 옥주는 생각했다. 공부를 잘하면 그만큼 정력적으로 살아왔다는 뜻이니까 그것이 인간 육체의 완전성을 말해 주는 건가. 윤슬은 삼호학생이 아주 중요한 스펙이라며 "언니, 세탁실에서 만난 학생이랑 많이 친해요?" 하고 관심을 보였다.

점심을 먹던 날, 옥주는 예후이에게 중국어 강습을 해 달라고 부탁했다. 물론 옥주가 윤슬의 얘기를 듣고 과외를 부탁한 건 아니었다. 그저 말을 하고 싶게 만드는 사람이기 때문이었다. 무슨 얘기를 하고 싶은지는 모르겠지만 그래도 입을 열어 지금과는 다른 숨을 쉬어 보고 싶게 하는 사람. 그런데 옥주에 관해서는 과거도 현재도 알지 못해서 지금부터 새롭게 시작하면 되는 사람. 옥주의 제안을 들은 예후이는 의외라는 듯이 눈을 동그랗게 떴고 입 안에 씹고 있던 햄버거를 얼른 삼켰다. 그러고는 엉뚱하게도 "괜찮겠어요?" 하고 물었다.

"뭐가 괜찮아요?"

옥주가 의아해서 되묻자 예후이는 음…… 하고 말을 끌더니 아니라고 또 버릇처럼 손을 내저었다.

"가르치는 일은 자신 있어요. 내일 도서관에 가서 어떤 교재들이 좋을지 찾아볼게요."

옥주가 강습비는 어느 정도로 할지 묻자 예후이는 누군가와 통화했고 시간당 50위안이면 좋겠다고 말했다. 그런 예후이의 얼굴에 활기가 차 있어서 옥주의 기분도 모처럼 맑아졌다. KFC에서 나온 그들은 버스를 타기 위해 광장을 가로질렀다. 역 근처라 광장은 무척 붐볐다. 시계탑을 중심으로 다양한 인종의 백패커와 현지인들이 캐리어와 보따리를 들고 끊임없이 이동했다. 예후이는 마주 오는 자전거며 사람들을 다람쥐처럼 잘 피해 갔다. 그러다 갑자기 발을 멈추고 "우리 여기서 기도하고 가요." 하고 말했다. 예후이가 멈춘 곳은 기념품 가게였다.

"여기서 기도를 하자고요?"

"간단해요. 학업 진전, 신체 건강 하면서 잠깐 손을 착."

예후이가 기도를 올리자고 하는 건 벽면을 다 채울 정도로 큰 와불상 사진을 향해서였다. 베이징 외곽의 절에 실제로 있는 와불상인데 유학을 준비하거나 취업을 앞둔 사람들이 몰려가 기도를 드린다고 했다. 사람이 많을 때는 꽤 오래 차례를 기다려야 한다고. 왜 하필이면 그곳일까 했더니 사찰의 이름인 워포臥佛가 제안을 뜻하는 영어의 오퍼offer와 비슷해서였다.

남의 눈치를 별로 보지 않는 옥주였지만 붐비는 거리에서 갑자기 기도를 하고 싶지는 않았다. 기도는 이런 시장 바닥에서 해치우는 것이 아니라 홀리한 공간에서 하는 경건한 행위니까. 더구나 옥주는 딱히 기도할 일이 없었다. 학업을 진전하고 싶지도 않았고 심지어 그다지 오래 살고 싶지도 않았다. 어느 날은 자신의 상처를 들여다보며 복수의 힘으로 더 나은 미래로 나아가자고 다짐했지만 얼마 지나지 않아 그런 마음의 부력은 미약해지고 상심의 파도가 밀려오곤 했다. 하지만 예후이의 표정이 진지해서 안 한다고 버티기에도 애매했다. 특히 유학과 관련해서 행운을 가져다 준다고, 그러니까 옥주 같은 유학생은 꼭 해야 한다고 강조했으니까. 옥주도 하는 수 없이 예후이를 따라 손을 모으고 허리를 약간 숙였다.

예후이는 여기를 지나칠 때마다 기도를 하며 공양을 쌓는다고 했다. 얼마 있으면 천 번 정도 기도를 한 셈일 거라고.

"직접 가 본 적도 있고요?"

버스에 앉아 옥주가 묻자 예후이는 고개를 저었다.

"직접 보지 않아도 상관없어요. 나는 꿈에도 와불상이 찾아오곤 하거든요."

예후이의 그 말에는 자신만만하다 싶을 정도의 낙관이 엿보였다. 옥주와 예후이 사이에는 잠시 말이 끊겼다. 옥주는 버스가 신호에 정차하고 커브를 돌 때마다 자기 몸이 이리저리 기우는 것을 맥없이 느껴 보았다. 유리창 편으로 붙었다가 다시 예후이 쪽으로 기울어지면서 아무 생각 없이 마음이 평온하게 텅 비어 가는 순간을. 옥주는 오늘이 뭔가 기념할 만한 날이라고 생각했다. 처음으로 기도라는 것을 해 봤기 때문이었다.

이후 베이징의 날들은 옥주에게 한층 괜찮게 흘러갔다. 마냥 외롭고 고립될 듯했던 옥주의 생활에도 새로운 사람들이 스며들었고 바로 그들이 옥주의 생활을 좀 더 단단하게 붙들어 주었다. 어학원의 같은 반 학생들끼리 친해지면서 옥주가 원했던, 과거는 없고 미래는 가능한 관계들이 많아졌던 것이다.

옥주가 예후이와 과외를 시작하자 다른 친구들도 합류했다. 유학생들은 대체로 중국어 과외 선생이 있었다. 수업료가 저렴했기 때문에 한 학생이 여러 명의 중국인과 수업하는 경우도 흔했다. 윤슬이 예후이와 과외를 시작했고 뒤이어 같은 반의 노르웨이인 야콥이, 같은 학교에서 오지는 않았지만 현지에서 만난 한국인 상훈과 영국인 레이철이 예후이에게 개인 과외를 받았다.

예후이가 인맥을 그렇게 넓혀 나간 건 적극적이고 성실한 성격

덕분이었지만 옥주가 사람을 사귀는 방식 때문이기도 했다. 옥주는 일단 누군가를 가까이하면 최선을 다해 그를 좋아했으니까. 실제 어떤가보다 자신이 어떻게 생각하는가가 더 중요한 사람들이 있고 옥주가 바로 그런 경우였다. 친구들이 예후이에 대해 물으면 언제나 "하오하오, 헌 하오." 하고 어떤 열의를 담아 정말 좋다고 칭찬했다.

수업은 일주일에 두 번이었지만 옥주는 예후이를 더 자주 만났다. 물론 예후이와만 그렇게 한 것은 아니었다. 친구들은 서로의 일상에 느슨하게 들어와 있었고 오늘은 누가 누구와 시간이 맞아 점심이나 저녁을 먹었다는 시시콜콜한 얘기들도 위챗 그룹방에 올라왔다. 옥주는 마치 식구를 되찾은 기분이라고 생각했다. 일부러 날짜를 잡고 장소를 정하지 않아도 하루 중 어느 시간은 자연스레 일상이 겹치는 사이, 특별한 이슈가 아닌 먹고 자고 입고 하는 가장 사소한 일이 화제로 공유될 수 있는 사이. 옥주는 더 이상 자신의 가족들이 흩어지고 말았다는, 형태로라도 남아 있었던 가족이 완전히 끝장나고 말았다는 상실감에만 젖어 있지 않았다.

여름이 시작되자 다 같이 호우하이에 가는 날이 잦아졌다. 큰 호수가 있는 그 동네는 산책하기 좋았고 외국 음식을 파는 레스토랑과 재즈 바가 있어 놀기에도 적당했다. 연꽃이 무더기로 떠 있는 호수를 가장 오래오래 바라보는 건 야콥이었다. 자기 고향이 그런 호수들을 끼고 있다고 말했다. 그리고 메모지를 꺼내 두 개의 산 사이에 마치 별자리처럼 자리한 호수들의 위치를 표시해 보여 주었다.

"야콥, 너는 우리 고향도 분명히 좋아하겠다!"

예후이가 선착장 나무 덱에 앉아 수면으로 발을 늘어뜨리고 있다가 소리쳤다. 후난성의 자기 고향 마을에도 아름다운 호수가 있는데 그 물결의 빛깔은 이것과는 비교도 되지 않을 정도라고 자랑했다.

"호수 빛깔이 다르면 얼마나 달라?"

윤슬이 초콜릿을 입 안에 넣으며 물었다.

"바다라면 모를까. 호수는 다들 비슷비슷하지 않나?"

"아니, 정말 달라."

예후이는 웃었지만 단호한 투로 말했다.

"한때는 호수 물을 떠다가 등잔을 밝혔을 정도로 특별하거든."

그러자 대화는, 그러면 호수가 아니라 유전이 아니냐는 둥 불까지 붙을 정도면 수질은 나쁘지 않겠냐는 둥 하는 농담으로 흘렀다. 야콥만이 예후이의 말을 진지하게 듣고 있었다.

"혹시 여름 방학 때 내가 그 호수에 가 볼 수 있을까?"

"우리 고향에?"

잠깐의 정적이 흐르고 윤슬이 자기도 현지인의 집에 방문해 보고 싶다고 했다. 이어서 레이철이, 상훈이, 그리고 마지막으로 옥주가 그 아이디어에 동참했다. 예후이는 갑작스러운 요청에 당황한 듯했지만 곧 얼굴에 미소를 지으며 좋다고 대답했다.

기말고사 기간이 되자 예후이는 시험 기간 내내 마치 한국의 고3들처럼 공부했다. 성적이 좋아야 취업에 성공할 수 있으니까. 중국의 대학 진학률은 그해 다시 사상 최대치를 경신해서 "꿩도 대학에 간다."라는 말이 뉴스에 나올 정도였다. 예후이는 도서관에서 살다시피 했고 계산기 숫자판의 숫자가 지워질 만큼 열심히 두드리며 교재를 풀었다. 그러면서도 과외는 계속했는데 옥주가 괜찮다고 좀 미루자고 해도 듣지 않았다.

시험 기간에 예후이를 만난 옥주는 그러면 시험 범위의 아무 페이지나 읽어 달라고 했다. 중국어로 듣기만 해도 공부는 공부이니까. 처음에는 안 된다고 하다가 예후이는 알겠다며 이런저런 교재들을 읽어 주었다. 어려서부터 낭송을 배운다는 중국인답게 예후이가 읽는 글들은 소리 자체가 살아 흐르는 듯 들렸다.

"예후이, 너는 말을 어떻게 배웠어? 누가 너한테 말을 가르쳐 줬어?"

기숙사 앞 벤치에 누워 예후이의 목소리를 듣던 옥주가 물었다. 예후이는 교재에서 눈을 떼더니 한동안 뭔가를 생각했다.

"그건 왜 물어요?"

"중국어를 너무 잘해서."

예후이가 허리를 숙이고 웃더니 옥주 머리카락에 붙은 날벌레들을 손가락으로 떼어 주었다.

"엄마가 이혼하고 떠나서 할머니한테 말을 배웠는데, 할머니는 맨날 노래를 흥얼흥얼했어요. 이런 노래 같은 거."

그렇게 해서 그 밤 예후이가 가르쳐 준 노래를 옥주는 지금도 기억하고 있었다. 어학연수를 다녀왔다고 어디 가서 말조차 할 수 없을 정도로 중국어를 다 잊어버렸지만 이상하게도 그 동요만은 잊히지가 않았다. 아이들에게 사성을 가르쳐 주기 위한 단순한 단어들로 이루어진 그 노래는 작은 쥐 한 마리가 등잔 위에 올라갔어, 하는 가사로 시작했다. 기름을 훔쳐 먹었는데 내려올 수가 없네, 엄마 엄마 어디에 있어요, 작은 쥐는 불렀지만 엄마는 오지 않고 데굴데굴 굴러떨어져 버렸네.

드디어 여름 방학이 되어 여행 준비가 시작되자 각자의 취향이 문제를 일으켰다. 누구는 길어도 일주일만 다녀오고 싶어 했고 누구는 적어도 보름은 있어야 여행이라고 했다. 예후이의 고향 집은 후난성 창사長沙시에서도 버스로 한 시간 이상을 더 들어가야 하는 시골 마을이었다. 베이징에서 창사까지 급행 기차를 타면 열세 시간 반이 걸렸다. 그 얘기를 듣자 윤슬은 차라리 비행기를 타자고 했다. 아무리 침대칸이라도 자기는 그렇게 오랜 시간 갇혀서는 편하지가 않다고. 옥주도 폐쇄된 공간에 오래 있지 못했지만 비행기를 타자는 데 동의할 수는 없었다. 예후이가 그 정도 돈은 못 쓴다고 말했기 때문이었다.

"어차피 창사역에서 만나기만 하면 되니까 나는 기차를 탈게. 모두들 비행기를 타고 와. 비행기는 영 꺼려지기도 하고. 우리 할머니가 위험하니까 절대 타지 말라고 했거든."

"예후이, 그러면 넌 평생 비행기를 탈 생각이 없니?" 레이철이 물었다. 예후이는 잠시 생각하다 그렇지는 않다고 했다. 신혼여행은 중국 밖으로 가고 싶으니까.

"물론 나중에 신랑한테도 의견은 물어 봐야지. 어차피 내 마음대로 할 거지만."

예후이가 농담하자 어색했던 분위기가 나아졌다. 그런데 며칠 지나지 않아 모두는 기차를 타기로 결정했다. 비행기를 고집했던 윤슬이 의견을 바꿨기 때문이었다. 야콥이 예후이를 따라 밤 기차를 타겠다고 하자 윤슬은 그러면 모두 기차를 타자고 했다. 레이철은 변경된 계획을 옥주에게 알리면서 러브, 러브, 러브, 라고 노래를 흥얼거렸다. 윤슬이 야콥을, 야콥이 예후이를 마음에 두고 있다는 말이었다. 하지만 야콥은 스스로 설명한 대로 야간 기차를 타고 싶었을 수 있고 윤슬 역시 친구들끼리 그렇게 갈리는 게 부담일 수 있지 않은가. 옥주가 그렇게 말하자 레이철은 "여행이 끝나고 나면 결과도 나와 있겠죠." 하고 웃었다. 원래 여행과 사랑은 함께라며 레이철은 농담했지만 옥주는 잔잔한 불안을 느꼈다. 그런 관계들에 승자는 없고 언제나 패자들만 있게 마련이라는 사실을 잘 알기 때문이었다.

마침내 여행을 떠나는 7월의 어느 날, 옥주와 친구들은 기차를 탔다. 삼 층 침대가 양편에 놓여 있고 객실과 복도가 분리되어 있지 않은 이등석 칸이었다. 예후이는 자기가 이 층을 쓰겠다고 먼저 말했다. 가장 답답하고 불편한 층이니까. 그러자 야콥이 반대했다. 모두들 똑같은 운임을 냈으니 공평하게 자리를 정해야 한다는 거였다.

"그렇지? 모두 기차 비용을 냈지?"

이번 여행의 총무인 상훈에게 야콥이 확인했다. 예후이는 집을 제공하니까 식비나 유흥비는 일절 없이 교통비만 내기로 합의했었다.

"양보할 수도 있잖아. 손님에게 그만한 양보는 중국인에게는 좋은 거야."

예후이는 자기 배낭을 이 층에 넣고 두 손바닥을 펼쳐 보이며 이제 됐다는 제스처를 했다. 흐릿한 기차 조명 아래 밝게 웃어 보이는 예후이의 표정은 그래서 더 앳되고 갸륵한 느낌을 주었다.

"아니, 그런 자발적 희생은 이상한 것 같아."

야콥은 답답했는지 일행을 둘러보며 영어로 대답했다. 옥주의 시선은 자연스레 야콥에게 옮겨 갔다. 얼굴형이 갸름하고 이목구비의 선이 가늘어서 감정도 섬세하게 드러나는 듯한 얼굴이었다. 지금은 실제 사안보다 조금은 과해 보이는 어떤 맹목이 엿보였다. 객실에 사람들이 들어차자 더 이상 좁은 복도에 버티고 서 있기가 어려웠다.

"그래, 야콥 네 말이 맞아. 그런데 아시아인들은 그런 친절이나 예의, 네 말대로라면 자발적 희생이 뒤범벅된 기쁨으로 살아가기도 해. 그것에 대해선 나중에 얘기하고 우리 앉을까?"

그렇게 말하며 옥주도 배낭을 들어 이 층 자리에 던져 넣었다. 그런 옥주의 배낭을 삼 층으로 올려 버린 건 상훈이었다.

"누나는 폐소 공포 있으면서 이렇게 위아래 꽉 막힌 여기를 쓴다는 거예요?"

결국 예후이와 상훈이 이 층을 쓰고 레이철과 옥주는 삼 층에, 야콥과 윤슬이 일 층에 짐을 풀었다. 옥주는 거의 잠을 잘 수가 없었다. 진동으로 몸이 계속 흔들렸고 침대가 딱딱해 등이 아파왔기 때문이었다. 뒤척이다가 아래를 내려다보면 침대 밖으로 비죽 나와 있는 친구들의 손이나 발이 보였다. 키가 큰 상훈은 난간에 비스듬히 다리를 걸쳐 놔야 겨우 누울 수 있었다. 도피 유학을 왔다고 자기 스스로 말하고 다니는 상훈을 보면 옥주는 자기 막냇동생이 떠오르곤 했다. 마음이 약한 아이였다.

설핏 잠이 들었다가 깨 보니 예후이가 일어나 있었다. 옥주에게 나오라는 손짓을 하고는 자기가 먼저 복도를 빠져나갔다. 옥주가 사다리를 밟고 내려가자 야콥이 일어나 따라왔다. 다른 친구들은 용케 잠이 들었는지 그저 일어나는 게 귀찮은지 미동이 없었다. 밖으로 나간 셋은 객실 연결 통로에 섰다. 예후이가 밖을 가리키며 이제 곧 강을 건넌다고 했다. 창문으로 보니 폭이 큰 물길이 흐르고 있었다. 아주 짙고 탁한 물이었다.

"이 강을 지나면 이제 집이 멀지 않았다는 거예요. 류양강 저 탁한 물 끝에 우리 고향 물인 샹강이 있거든. 아주 맑디맑은."

달리는 기차의 소음을 뚫느라 예후이의 말소리는 점점 커져 갔다. 지난 춘절에도 고향에 오지 못했다는 예후이는 들떠 있는 것 같았다. 웅장한 강의 풍경을 보니 옥주도 피로가 가시면서 오기를 잘했다는 생각이 들었다. 옥주가 집에 가져갈 선물을 준비했느냐고 묻자 예후이가 고개를 끄덕였다. 여름 홑이불과 피클도 있다고.

"피클?"

야콥이 잘못 들었나 싶은지 큰 키를 굽혀 예후이에게 되물었다.

"응, 우리 할머니는 멀리 나가기 힘들어. 피클 같은 건 시골에서는 귀한 거야."

언젠가 시내에서 예후이와 먹어 본 뒤로 할머니는 입맛이 없는 여름이 되면 종종 피클을 찾는다고 했다. 그것은 피클, 그저 작고 가벼운 한 음식에 대한 언급일 뿐인데도 야콥의 표정에는 무언가가 천천히 번지고 있었다. 애틋함과 매혹, 선망이 뒤섞인, 타인이 특별하게 다가올 때 누구나 지니게 되는 어떤 당혹감 같은 것. 야콥이 피클은 집에서도 얼마든지 만들 수 있다고 했다. 그것은 마치 채소의 물기를 털어 내듯 아주 쉬운 일이라고. 시간이 좀 더 흐르자 밖은 완전히 환해졌다. 도착 시간이 남았는데도 사람들이 모두 일어나 짐을 챙기기 시작했다.

그때 그 여행을 회상해 보면 옥주는 첫날 도착해 몸을 씻었던 예후이네 좁은 부엌부터 떠올리곤 했다. 욕실이 없어서 샤워를 하려면 작은 수도와 화덕과 플라스틱 양동이 여러 개가 어지러이 놓인 부엌을 써야 했다. 윤슬과 레이철은 공간을 보더니 아직은 괜찮다며 돌아섰지만 오는 내내 땀을 흘린 옥주는 안 씻을 수 없었다. 옥주가 퍼프에 비누 거품을 내어 씻는 동안 바로 옆에서는 예후이와 할머니가 옥주의 곤란함과는 아무 상관 없는 일상적 대화를 나누며 식사를 준비했다. 아무렇지 않다는 듯. 그 순간의 무안함은 모두 옥주의 일일 뿐이라는 듯. 그 무심한 태도가 옥주의 긴장을 누그러뜨렸다.

할머니 앞에서 예후이는 북경어와는 다른 말을 썼다. 콩을 볶고 두부를 조리는 할머니 옆에서 깔깔 웃었고 할머니는 무슨 얘기를 흥분해 전하다 눈물을 훔치기도 했다. 오랜만에 만나서 그러겠거니 싶으면서 옥주도 애잔한 마음이 들었다. 식사는 마당에 간이 테이블을 놓고 먹었다. 마당에서는 예후이 집 상태가 한눈에 들어왔다. 지붕에 깐 검은 기와는 처마 끝이 우르르 일어나 있고 벽돌 담에도 균열이 가 있었다.

밥을 먹고 동네를 한 바퀴 도는데 친구들 모두 별말이 없었다. 피곤해서였겠지만 난감하기도 했을 거였다. 열흘 동안 여기서 지낼 수 있을까 하는 생각은 어느새 옥주도 하고 있었으니까. 밤이 되자 옥주와 윤슬과 레이철은 예후이의 방에, 상훈과 야콥은 출입구 쪽 방에, 예후이는 할머니 방으로 자리 들어갔다. 옥주는 중간에 눈을 떠 서까래가 다 드러난 천장을 올려다보았다. 밖에서는 야콥인지 상훈인지가 긴 한숨을 쉬었다. 잠자리가 많이 불편한 모양이었다.

옥주는 뒤척이다 아예 일어나 앉았다. 어스름한 달빛이 들어오는 책상 위에 몇 권의 책이 놓여 있었다. 옥주는 한 권을 뽑아 읽었다. 송나라 때 여성 시인 이청조의 시선집이었다. 이제 보니 예후이의 닉네임인 이안거사는 그 시인의 호였다. 예후이는 마음에 드는 구절에 작은 별표 여러 개를 해 놓았는데 시선집을 자주 들여다본 듯 별마다 펜 색과 종류가 달랐다.

이튿날부터 관광지를 도는 일정이 시작되었다. 중국의 4대 서원이라는 악록서원, 박물관, 시를 내려다볼 수 있는 페리스휠, 귤자주섬 등지를 누볐다. 셋째 날 찾아간 귤자주섬은 샹강에 조성된 작은 퇴적섬으로 귤나무 군락지였다. 예후이는 관광 일정에도 모두 따라와 일행에게 최대한 많은 것을 알려 주고 싶어 했다. 친구들이 나른해지고 흥미를 잃어도 열의는 사그라들지 않았다. 마오쩌둥과 관련한 유명 관광지인 귤자주섬은 입구부터 무척 붐볐다. 옥주 일행은 내리쬐는 태양, 습한 대기 속에 긴 줄을 서서 섬을 둘러보았다. 귤나무 수천 그루가 자리한 귤원에는 무게가 2000톤에 달한다는, 웬만한 빌딩만 한 마오 쩌둥 청년 조소상이 우뚝 솟아 있었다.

"젊어서 그런지 우리가 아는 그 얼굴이 아닌 것 같네."

레이철이 가지고 다니던 여행 책자로 이마에 손차양을 만들며 말했다.

"그래도 꽤 잘 만들었네. 아련한 눈이며 힘을 준 입이며."

야콥이 그렇게 평하며 카메라로 조각상을 담았다.

"예후이, 우리 이 섬에서는 언제 나갈 거야?"

아까부터 다리가 아프다던 윤슬이 계단에 앉아 있다가 물었다. 땀 때문에 선글라스가 콧방울 근처까지 내려와 있었다. 예후이는 더 기다리면 저녁놀이 질 거라고 했다.

"시내로 가서 그냥 마라롱샤 먹으면 안 돼?"

"윤슬, 여기 와서 노을을 안 본다는 건 강에 보석을 빠뜨리는 것이나 다름없어."

하는 수 없이 옥주 일행은 해가 지기를 끈질기게 기다렸다. 해변 공원에서는 사람들이 수영을 즐기고 있었다. 상훈도 수영이 하고 싶다며 근처로 가 보더니 입장료가 있다며 돌아왔다. 이윽고 문득 하늘이 깨어난 것처럼 붉은빛이 번지기 시작했다. 저무는 해가 비치면서 구름의 부피가 도드라졌고 그렇게 짙어진 층적운들은 마치 누군가가 느슨하게 늘려 잡은 비단 천 같았다. 노을이 정말로 아름다웠으므로 일행은 잠시 말이 없었다.

"사실 이 섬은 겨울 풍경이 유명하기는 해. 강 하늘에 내리는 저녁 눈이 소상팔경瀟湘八景 중 하나거든."

"그러면 겨울에 또 와야겠네. 진짜를 보려면." 상훈이 운동화에서 모래를 털며 말했다.

"상훈이 너, 겨울에는 한국 간다고 하지 않았어?"

옥주가 묻자 상훈은 대답을 피했다. 계획이 또 틀어진 모양이었다.

"우리 겨울에는 모두 뭘 하고 있을까?"

"겨울에는…… 크리스마스 파티를 하고 있겠지."

야콥의 말에 예후이가 그렇게 대답한 뒤 크리스마스에 중국인들은 사과를 주고받는다고 설명했다. 크리스마스이브가 중국어로 '핑안예平安夜'이고 사과는 '핑궈苹果'로 발음이 유사해서인데, 또 사과는 예부터 중국에서 평안의 과일이라 불렸다고. 크리스마스이브에 그 사과 껍질을 최대한 얇게 깎으며 거울을 보면 연인의 얼굴이 보인다는 얘기를 하자 일행이 웃었다. 예후이는 한술 더 떠서 자기도 그렇게 해서 연인의 얼굴을 봤다고 농담을 했다.

"그래서 정말 현실에 그가 나타났니?"

레이철이 묻자 예후이는 고개를 끄덕였다. 모두들 웃었고 그 말을 믿는 사람은 아무도 없었다. 하지만 분명 분위기는 들뜨고 있었다. 그것은 사랑에 관한 이야기였기 때문이다.

"저기 봐, 백로가 난다!"

야콥이 모래밭을 가리키며 왜 그렇게 환호했는지, 레이철이 왜 자신에게 눈짓을 하며 크게 웃었는지 옥주는 잘 알고 있었다. 달려 나가는 마음을 멈추지 못하는 스물네 살의 야콥과 그 다가섬을 마다할 이유가 없는 스물셋의 예후이, 비슷한 이유로 포기라는 걸 고려하지 않는 동갑의 윤슬까지. 그 모든 건 자연스러운 일이었다. 샹강의 수천 그루 귤나무가 해들 거듭해 자라고 노을이 강물을 물들이며 바람이 새들의 작은 머리를 쓰다듬고 지나가는 것처럼. 돌아오는 버스에서 예후이와 야콥은 나란히 앞뒤로 앉았고 끊임없이 대화를 이어 나갔다. 야콥이 앞좌석 손잡이에 턱을 바짝 기댔고 예후이는 이따금 몸을 돌리는 대신 이마를 뒤로 완전히 젖

154

힌 채 얘기했다. 자연스레 둘의 얼굴이 매우 가까워졌다. 열어 놓은 버스 창으로 들어오는 바람을 맞으며 둘은 정말 여름 여행에 어울리는 환한 빛을 보여 주고 있었다.

그날 밤도 친구들은 술을 준비해 마당에 모였다. 옥주도 불렀지만 밀린 일기를 쓰겠다며 방에 남았다. 한창 떠드는 소리가 나더니 한 사람 한 사람 지쳐 방으로 들어가고 이윽고 마당에는 야콥과 윤슬만 남았다. 둘은 중국어와 영어를 섞어 대화했는데 감정이 격해지면 윤슬이 한국어를 썼으므로 옥주는 그 모든 사정을 알 수 있었다. 야콥이 자기가 윤슬을 좋아한다고 오해하게 했다면 미안하다고 하자 윤슬은 "오해?" 하고 소리쳤다.

대화가 파국으로 끝나고 윤슬이 들어오는 소리가 나서 옥주는 헤드폰을 쓴 채 침대에 누웠다. 윤슬이 휴지를 뽑아 눈물을 닦고 생수병에 담긴 물로 얼굴과 손발을 씻은 뒤 모기 기피제를 종아리에 거칠게 뿌려 대는 소리가 들렸다. 얼마나 지났을까, 윤슬이 언니 하고 불렀다. 옥주는 음악을 끄고 응? 하고 대답했다. 야콥의 일을 상의해 오면 뭐라고 말해 주나 걱정하면서.

"언니, 예후이한테 강습비 아직도 50위안씩 줘요?"

예상한 화제가 아니라서 옥주는 당황했다. 옥주의 답을 오래 기다리지 않고 윤슬이 잠긴 목소리로 말을 이었다.

"언니, 예후이 중국어에 사투리 많은 거 잘 모르죠? 원래 중국어 잘 못하는 사람들은 못 느껴. 언니, 50위안이면 전문 어학원 선생한테 과외 받아도 되는 돈이에요. 나는 듣자마자 안 된다고 잘랐잖아, 자기도 알더라고요."

옥주는 윤슬이 왜 지금 이 얘기를 할까 생각했다. 그렇게 해서
자신이 예후이에게 주는 돈은 시간당 20위안이라는 이야기를. 이
밤과 전혀 상관없는 일을.

"원래 초보자 가르치는 게 더 힘들잖아?"

옥주가 가까스로 답할 말을 찾아내자 윤슬은 말이 안 된다는 듯
짧게 코웃음 쳤다.

"언니, 언니가 생초보두 아닌데 힘들면 얼마나 힘들다고요. 그
리고 원래는 고급자 과정이 돈은 더 받죠."

"그래⋯⋯."

윤슬은 자기가 느낀 나쁜 감정을 누구에게든 옮기고 싶은 듯했
다. 자기만 들고 있을 수는 없으니까 너무 힘드니까. 그 뒤로도 한
동안 예후이가 이 친분을 '이용해' 얻는 것들에 대해 불평하던 윤
슬은 새벽 공기 냄새가 스며들 즈음에야 겨우 잠이 들었다.

문제의 밤 이후 일행은 대놓고 말할 수는 없는 불편한 기류를 참
아 내야 했다. 하지만 어느 밤 취한 레이철이 "나는 남자 하나 두고
이렇게 여자들끼리 경쟁하는 거 너무 별로야."라고 소리 질렀고 이
후 야콥은 노르웨이에서 친구가 왔다며 일정을 바꿔 베이징으로
돌아갔다. 그러자 윤슬도 비행기를 타고 창사시를 떠났다. 예후이
는 표정이 좋지 않았다. 시작도 되기 전에 자신의 감정이 부정당하
는 건 당연히 괴로운 일이었다. 옥주도 마음이 무너져 내리고 있었
다. 믿었던 관계가 이렇게 쉽게 어그러지는 것에. 시간이 돌고 돌

아 또다시 혼자 덩그러니 남겨진 듯했다. 상훈과 레이철은 옥주에게 일정보다 먼저 장자제로 가자고 했다. 지내기도 불편하니까.

하지만 옥주는 둘의 제안을 거절하고 예후이네 집에 남았다. 마지막 일행마저 떠나고 난 뒤 옥주는 자기가 쓰는 방을 오래오래 청소했다. 예후이의 할머니는 친구들이 바빠서 갔느냐고 옥주에게 물었고 젊은 사람이 바쁜 건 아주 복된 일이라고 말했다.

결국 호수에 간 건 옥주와 예후이뿐이었다. 집을 나서는데 머무는 동안 종종 찾아왔던 예후이의 사촌이 어디를 가느냐고 물었다. 옥주가 호수에 간다고 하자 사촌은 물뱀을 꼭 조심하라고 일렀다. 호수로 가는 길은 덤불이 무성하고 진창이 계속되는 험로였다. 비가 온 직후라 더 그런 듯했다. 버드나무들이 가지를 무겁게 늘어뜨린 오솔길을 따라가자 폭포가 등장했다. 예후이와 옥주는 잠시 멈춰 물살을 지켜보았다. 층층의 돌들에 폭포 물이 부딪히면서 이는 물거품은 마치 아래로 아래로 빠르게 뛰어드는 수천의 투명한 새들 같았다.

"쉬 야오 방 망 마?"

옥주가 배낭에서 물병을 꺼내며 슬쩍 물었다. 어느 추운 밤 예후이가 옥주를 처음 만나 건넨 그 말. 예후이도 기억했는지 조용히 웃었고 물줄기를 잡아 보려는 듯 긴 팔을 그쪽으로 내밀었다. 그리고 아주 느리게 "하이…… 하오." 하고 답했다.

둘은 호수를 향해 계속 걸었다. 이제 거의 다 왔다고 예후이가 말한 순간 옥주는 아, 하고 탄성을 내질렀다. 호수는 더 이상 연마

할 수 없을 정도로 잘 세공된 금속처럼 빛나고 있었다. 세상의 어떤 것도 되비출 수 있을 것처럼. 나무가 담기면 나무가 되살아나고 새가 담기면 새가 그대로 되살아나 가지를 옮겨 다니며 날갯짓할 수 있는, 물이 지녔다고는 믿을 수 없을 정도의 양감量感이었다.

✳

옥주는 그 후 가을 하기의 대부분을 결석생으로 보냈다. 등록만 해 놓고 어학원에 나가는 둥 마는 둥 하다가 나중에는 아예 긴 여행을 떠났다. 상하이에서 다펑 팬과 잠깐 어울린 일정을 빼고는 서쪽 끝의 둔황까지 내내 혼자 다닌 여정이었다. 옥주는 여행하면서 많은 것들을 애도했다. 이제 식구들이 월계동에 다 같이 모일 날은 없고 자신의 스무 살 시절과 관련된 많은 이들도 떠나 버렸다는 것을. 잃어버린 사람들을 다른 사람으로 채울 수 없다는 사실을 받아들이자 비로소 상실은 견딜 만해졌다.

12월이 되어서야 베이징으로 돌아온 옥주는 한국으로 갈 준비를 했다. 짐을 거의 싸 놓고는 탈퇴를 할 생각으로 위챗에 접속했다. 그룹 대화방에는 상훈이 여행비를 정산하면서 올린 글이 마지막이었다. 옥주는 그렇게 멈춘 대화방을 묵묵히 살펴보다가 "니먼 하오." 하고 글자를 찍었다. 그리고 돌아오는 토요일에 모든 유학생의 소원을 들어준다는 와불을 보러 가자고 적었다.

와불사가 있는 베이징 식물원까지는 대중교통으로 한 시간이 넘게 걸렸다. 지하철과 버스를 갈아타고 정류장에서 내려 걷는데 상훈이 영화 「마지막 황제」에 식물원이 나왔다고 알려 주었다. 인생의 모든 풍파를 겪은 푸이가 식물원 관리인으로 여생을 보낸 곳이 바로 여기라고. 겨울인데도 주차장은 만원이었고 안내문에는 이곳에 아시아 최대의 온실이 있다고 쓰여 있었다.

"중국에는 '최대'가 참 많은 것 같아요."

상훈이 그렇게 말했고 옥주가 맞아, 하고 동의했다. 와불은 열반에 든 자세 그대로 옆으로 누워 있었다. 상훈은 향을 피우고 평소답지 않은 진지한 얼굴로 자기 앞날의 축복을 빌었다. 옥주보다 더 오래, 더 정성을 다해서. 그렇게 자기 삶이 중요해진 걸 보면 상훈도 이제 한국으로 돌아갈 때가 되지 않았을까 싶었다. 와불사에서 나와 다시 시내로 돌아가면서 상훈과 옥주는 친구들의 근황에 대해 이야기했다. 야콥과 윤슬은 연인이 되었다가 그새 헤어졌고 레이철은 취직이 되어 베이징을 떠났으며 예후이는 입시 학원 아르바이트가 너무 바빠 오늘 올 수가 없었다는 얘기.

"그래, 대화방에 그렇게 남겼더라."

"저 아직도 예후이랑 과외 해요. 많이 늘었어."

"너무 잘된 일이다."

"누나는 여행하면서 중국어 거의 안 했나 봐. 실력이 는 것 같지가 않은데."

"묵언 수행하느라 한국말도 다 까먹었다."

"멋있네."

"뭐가 멋있는데?"

"모르겠어. 그냥 누나는 좀 멋있어요."

그 밤 기숙사 문이 닫히는 열한 시에 겨우 맞춰 돌아와 보니 옥주 방 문손잡이에 뭔가가 걸려 있었다. 종이 백에 담긴 커다란 사과였다. 붉은 껍질에 금색 안료로 쓴 "平安"이라는 한자가 보였다. 동봉된 쪽지는 잘 지냈느냐는 안부로 시작해 홀리데이를 잘 보내라는 인사로 끝을 맺었다. 출국하기 전, 옥주도 예후이의 기숙사 방에 크리스마스 선물을 걸어 두었다. 베이징에서 제일 큰 식료품 가게에서 열심히 찾은, 가장 맛있어 보이고 양도 넉넉한 피클이었다.

베이징에서 돌아온 뒤로도 옥주의 날들은 그리 평안하지는 않았다. 자기 자신이 완전히 볼품없는 인간이 된 듯해 좌절했고 사람들과는 늘 가까워졌다 멀어지며 오해를 쌓아 갔다. 그래도 그 해 예후이와 함께 보았던 호수를 생각하면, 세상 어디에서는 호수 물로 등잔을 밝힐 수도 있다는 얘기를 기꺼이 믿었다는 사실을 떠올리면 상심이 아물면서 옥주는 옥주 자신으로 돌아갈 수 있었다. 다시금 월계동 옥주로, 속상한 일이 있으면 언제든 바람막이를 꺼내 입고 못난 자신이 갸륵해질 때까지 걷는 중랑천의 흔하디흔한 사람으로.

* 「월계동(月溪洞) 옥주」에서 기숙사 안으로 들어가지 못한 한국인과 그를 도와준 중국인이 중국어 개인 과외를 하게 된다는 설정은 오마이 뉴스의 한 기사를 읽고 착안했다. 하지만 구체적 정황과 인물은 모두 기사와 상관없는 허구이다.

김지연

2018년 단편 소설 「작정기」로 문학동네신인상을 수상하며
작품 활동을 시작했다. 소설집 『마음에 없는 소리』,
장편 소설 『빨간 모자』, 중편 소설 『태초의 냄새』 등이 있다.
제12회, 제13회 젊은작가상을 수상했다.

먼바다 쪽으로

1

어느 날 해변으로 조개들이 마구 밀려왔다. 종희는 투숙객이 빠져나간 2층 객실 베란다에서 이불을 털다가 해변의 사람들이 자주 허리를 굽히는 것을 보고 그 사실을 알아챘다. 7월이 시작되자 더위는 정점을 찍었다. 바닷속으로 뛰어드는 사람들도 점점 더 많아졌다. 종희는 1층에서 청소를 하고 있을 현태에게 전화를 걸어 해변에 나가 보라고 했다. 현태는 빈 양파망 하나를 들고 맨발로 걸어 나가서는 조개로 망을 가득 채워 돌아왔다. 잡아 온 조개는 한나절 동안 잘 해감한 다음에 국을 끓였다. 그래도 어떤 것은 모래가 많이 씹혀서 뱉어 내야만 했다.

그날 잠들기 전에 이불 속에서 몇 차례 몸을 뒤치던 현태가 물었다. "그런데 우리가 끓인 조개 이름이 뭐였지?" 종희는 눈을 깜박이며 조개의 외양을 떠올려 보았다. 보름달처럼 둥근 데다 껍데기가 매끈한 하얀 조개였다. 곰곰 생각한 끝에도 겨우 "글쎄, 뭐였을까." 하고 말할 뿐이었다. 꾸준히 챙겨 먹는 수면제의 약발 때문인지 현태는 금세 곯아떨어져 코를 골기 시작했다. 종희가 현태의 베개를 살짝 잡아당기자 잠깐 코 고는 소리가 멎었다. 창으로 승용차의 후미등인 듯한 붉은빛이 들어와 천장을 밝혔다가 사라졌다. 종희는 눈을 깜박이며 그 흔적을 좇다가 이내 잠들었다.

다음 날 종희는 조개껍데기만 모아 놓은 비닐봉지에서 하나를 꺼내 싱크대에 올려놓고 휴대폰으로 사진을 찍었다. 한 번 삶은 뒤라 그런지 색이 좀 바래 보여 하얗게 보정을 해서 인터넷 사이트에 올렸다. 어제 해변에서 잡은 것인데 이름이 궁금합니다…….

"어젯밤에 누가 왔었나? 잠결에 차 소리를 들은 거 같은데."

샤워를 하고 나온 현태가 수건으로 머리를 털며 물었다. 종희는 지난밤 천장이 붉어졌던 것을 떠올리며 말했다.

"맞아, 차 불빛이 지나가는 걸 봤어."

"뭐? 근데 왜 말 안 했어?"

"자는 사람을 뭐 하러 깨워. 잘못 왔나 보다 했지."

"헷갈리기 쉬운 길은 아니잖아."

"그래도 밤이었으니까 헷갈렸을 수도 있지. 아니면 기분 내려고 달리다가 여기가 막다른 길인지도 모르고 들어왔을 수도 있고."

현태는 입술을 깨물고 고개를 두어 차례 끄덕였다. 종희는 그것이 충분한 동의의 표현이라고 여겼다.

"우리 펜션 옮길까?"

"왜? 여기 괜찮잖아. 사장도 멀리 살고."

"손님이 거의 없잖아. 지난달 월급도 보름이나 늦게 들어왔는데 이번 달은 또 어떨지."

종희는 한가해서 좋다고 말하려다가 말았다. 현태가 두려워하는 것은 늦어지는 월급이 아니라 지난밤의 방문자였다. 종희 생각엔 길을 잘못 든 멍청이일 뿐이었다.

"그래도 여름까지는 있어야지. 당장 옮길 데를 어디서 찾아? 천천히 생각해 보자."

현태는 대답 없이 가만히 앉아 있었다. 종희는 현태가 대답이란 걸 할 수 있을 리가 없다고 생각했다. 자신의 말이 다 옳았고, 현태의 의심은 불안 때문에 충동적으로 일어난 감정일 뿐이었다. 한동안 잠잠하다 다시 고개를 쳐든 것 같았다. 그걸 자신의 한두 마디 말로 잠재울 수는 없었다.

"자기야, 나가서 고기랑 숯 사 와. 오늘 예약 있잖아."

현태는 알았다고 말하고는 옷을 갈아입고 머리를 덜 말린 채로 방을 나갔다. 잠시 후 자동차가 자갈이 깔린 주차장을 빠져나가는 소리가 들렸다. 현태가 나간 다음 종희는 청소를 시작하기 위해 몸을 일으켰다.

두 사람은 2층짜리 펜션에서 지내고 있었다. 1층 입구에 있는 방이 두 사람의 거처였다. 방은 다른 객실보다 작았지만 바다 쪽으로 딴 건물이 없어 탁 트인 전망이 좋았다. 손님이 없는 날에는 빈 객실에서 자기도 했다. 이곳에서 숙식을 해결하며 여름 내 펜션 안팎을 관리하는 것이 두 사람의 일이었다. 서울 살이에 시달리다 요양 삼아 내려온 시골에서 무료하게 지내다 소일이라도 하자 싶어 구한 자리였다. 객실은 모두 여섯 개였고 잔디 마당에 바비큐용으로 만들어 놓은 야외 테이블이 있었다. 사장은 다른 도시에 살았다. 처음 면접을 볼 때를 빼고는 찾아오지도 않았다. 도시의 끄트머리 해변에 있는 곳이라 가구 수도 적었고 낚시꾼이나 여행객이 아니면 찾는 사람도 없었다. 손님이 괴롭히는 일이 없으면 힘들 일이 없었다. 현태는 그마저도 좋아했다. 사상님, 하고 부르며 귀찮게 구는 것이나 밤새도록 떠들어 대는 것도 듣기 좋다고 했다. 와서 고기를 좀 구워 달라, 방에 벌레가 들어왔는데 좀 잡아 달라, 근처에 편의점도 없는데 콘돔을 빌려 달라, 아침에 깨워 달라, 요금을 깎아 달라, 터미널까지 태워 달라……. 끝없는 요구 사항에도 흔쾌히 응했다. 그런 것까지 하지 않아도 된다고 종희가 말려도 어차피 달리 할 일도 없다는 게 이유였다. 가만 보니 몸을 바삐 움직여 잡생각을 잊으려는 것 같아서 종희도 그냥 내버려 두었다. 이후로는 종희도 현태를 부리는 일에 익숙해졌다. 장을 보거나 객실 청소를 하는 일, 가끔은 해변에 나가 조개를 주워 오는 일도 시켰다. 그때마다 현태는 군말 없이 따랐다.

종희는 침대 위에 놓여 있는 젖은 수건을 집어 들어 세탁 바구니에 넣었다. 현태가 머리를 말리다 그대로 두고 간 것 같았다. 수건 때문에 이불도 조금 축축해져서 이불도 베란다에 널었다. 베란다에 내놓은 의자에 앉아 잠깐 바다를 보았다. 구름 없이 맑아 물비늘이 번쩍이는 날이었다.

정오가 되기 전 손님이 왔다. 베란다에서 잠깐 졸았던 종희는 문을 두드리는 소리에 깜짝 놀랐다. 입실 시각은 한 시였지만 일찌감치 도착한 예약 손님일 수도 있었다. 예약을 하지 않고 오는 사람은 여태 한 번도 없었다.

"방 있을까요?"

사십 대 중반쯤으로 보이는 남자는 검은 등산복 차림이었다. 파란색 등산 모자에 선글라스를 쓰고 있었다. 펜션 이름은 비쥬였다. 보석 종류로 객실 이름을 붙인 것이며 더블베드에 캐노피로 꾸며 놓은 모양새가 누가 봐도 연인들을 겨냥한 것이었다. 인테리어에 신경을 썼다는 이유로 요금도 비싼 편이었다. 이런 방에 굳이 혼자 묵을 이유는 없을 것이다.

"혼자신가요?"

"네."

"저희가 다 커플실이라서요. 혼자 오셨다고 해도 제일 저렴한 방이 지금 일박에 십칠만 원이거든요."

남자는 고개를 끄덕였다.

"간만에 휴가를 얻어서 낚시나 하려고 왔는데, 다 방이 없네요. 아직 성수기는 아니니까 안심하고 있었거든요. 비싸도 어쩔 수 없죠."

종희는 키를 들고 나와 예약된 에메랄드 룸을 뺀 나머지 방들을,

다이아몬드, 루비, 사파이어, 토파즈, 오팔을 차례로 보여 주었다. 가장 작은 방은 오팔이라고 알려 주었는데도 남자는 나머지 방들도 모두 보기를 원했다.

"사흘쯤…… 있을까 하거든요. 이왕이면 마음에 드는 방에서 있고 싶네요."

종희는 사흘치 숙박비를 사장 모르게 현금으로 챙길 기회가 생겼다는 것을 깨닫고는 내심 비싼 방을 선택했으면 했다. 조금 크다는 것 빼고는 별 특색도 없이 비싸기만 해서 잘 나가지 않는 방이었다.

"오랜만에 휴가신가 봐요. 삼 일 묵으신다니까 현금으로 하시면 오만 원 빼 드릴게요."

"음."

남자는 모든 방을 다 둘러보고는 웃으면서 아무래도 가격이 부담이 된다며 좀 더 둘러보고 와도 되겠냐고 물었다. 종희는 고개를 끄덕였다. 번외의 수입이 날아간 것이 아쉬웠지만 사장을 속이는 짓을 할 필요도 없어졌다. 남자는 차를 타고 펜션을 떠나기 전에 배웅하는 종희 앞에 잠깐 멈춰서 차창을 내리고 물었다.

"그런데 여기 혼자 계세요?"

"네? 아뇨, 남편이랑요."

"아, 역시 그렇군요."

남자는 창문을 닫고 떠났다. 종희는 검은 왜건의 꽁무니가 사라질 때까지 지켜보았다.

장을 보러 나간 현태는 점심이 다 지나도록 소식이 없었다. 전화를 할까 했으나 마트가 있는 시내까지는 가는 데만도 한 시간이었으므로 그냥 기다리기로 했다. 현태보다 예약 손님이 먼저 왔고 종희는 두 사람을 에메랄드 룸으로 안내했다. 두 사람은 짐을 부려 놓고 다시 밖으로 나갔다. 푸른 등산 모자의 남자는 다시 나타나지 않았다. 차라리 시내의 모텔 쪽을 택한 모양이라고 종희는 생각했다. 분위기를 잡을 것도 아니고 차도 있으니 언제든 자신이 원하는 장소로 쉽게 이동할 수 있었을 것이다. 현태와는 저녁까지 연락이 닿지 않아 숙소로 돌아온 연인이 저녁에 바비큐를 준비해 달라고 했을 때 종희는 수없이 고개를 조아려야만 했다.

　"어떤 사람이 계속 쫓아왔어. 따돌리느라 늦었어."
　자정 무렵에 도착한 현태는 그렇게 변명했다.
　"누가 쫓아왔다고?"
　"마트에서 나올 때부터 계속 따라왔어. 아냐, 그전부터 따라왔는지도 모르지. 마트에서부터 누가 계속 쳐다보는 것 같은 느낌이 들었어."
　"뭐 하러 널 쫓아다녀?"
　"몰라서 물어? 죽이려는 거잖아."
　현태는 트렁크에서 짐을 다 꺼낸 후 문을 세게 쾅 닫고는 종희를 쏘아보았다. 아직 누군가가 가까이에 있을지도 모른다는 듯 주위를 힐끔거리며 어깨를 웅크리더니 속삭이듯 말했다.

"나를 죽이려고 찾아온 거라고."

현태는 사 온 고기를 음식물 쓰레기통에 버렸다. 이 여름에 온종일 실온에 있었다며 먹을 수 없을 것이라고. 종희는 에어컨을 켠 자동차 안에, 그것도 아이스박스에 담겨 있었으므로 괜찮을 거라고 말렸지만 소용없었다. 두 사람은 실랑이를 벌이느라 한 시가 지나서야 침대에 누웠다. 펜션 앞에 켜 둔 조명이 방 안으로 들어와 누렇고 둥근 무늬를 만들었다. 파도가 치는 소리가 들렸다. 저 소리를 듣고 있으면 잠이 잘 온다고 종희는 생각했다. 그러나 그 외의 다른 것들이 모두 보통의 수준을 유지하고 있을 때라야 가능했다. 현태가 불쑥 말을 걸었다.

"생각해 봤는데 말이야. 손님으로 왔을지도 몰라. 맞아. 손님으로 올 수도 있다는 거, 그걸 왜 몰랐을까? 그럴 수도 있잖아. 이미 다녀갔을지도 몰라."

종희는 옆으로 돌아누우며 대꾸했다.

"말이 되는 소릴 해."

"어쩌면 벌써 찾아냈을 거야. 그래, 이렇게 시골에서 사는 걸 알아낸 게 분명해."

"찾았으면, 가만뒀겠어?"

"두고 보는지도 모르지. 그래, 어떻게 하면 좋을지 간을 보는 중일 거야."

"그럼 어떻게 할까? 다른 데로 옮기고 싶어?"

종희는 현태를 돌아보았다. 배꼽 언저리에 손을 모으고 가지런히 누운 현태는 눈을 감고 있으니 꼭 잠든 사람 같았다. 그러나 가만가만 입술을 달싹였다.

"그러기에도 늦었어."

"그럼 어쩌자고."

종희가 체념한 듯 묻자 현태는 눈을 뜨고 종희를 돌아보았다.

"어쩌자는 게 아니야. 어쩔 수 있는 게 아니니까, 마음의 준비라도 하고 있자는 거지."

"뭐?"

현태는 더는 대답이 없었다. 아무 말도 하지 않겠다는 듯 눈을 감고 아랫입술을 깨물고 있었다. 종희는 침대에서 빠져나와 베란다로 갔다. 난간을 붙들고 서서 바다를 보았다.

소금기를 머금은 축축하고 시원한 바람이 바다 쪽에서 불어왔다. 바다 위로 달빛이 길게 늘어져 있었다. 달은 보이지 않았다. 그렇다면 바다 위 파도를 타고 흔들리는 저 은색 빛은 달빛이 아닌 것일까. 종희는 한참 달을 찾았지만 찾지 못하고 다시 방으로 돌아왔다. 현태는 잠들어 있었다. 꾹 다물었던 입이 헤벌어지고 가슴팍이 고르게 오르내리는 것이 보였다. 침대 옆 콘솔에는 빈 물컵과 약봉지가 놓여 있었다.

현태의 불안 증세는 점점 심해지고 있었다. 종희는 모든 것이 자신의 탓인 것만 같았다. 애초에 거짓말을 하지 말았어야 한다. 아니, 그건 농담이었다. 매일 베란다에서 담배를 피우는 현태에게, 거실에서 쿵쿵 뛰며 게임을 하는 현태에게, 주말이면 기타를 치는 현태에게, 아파트 사람들이 다 우릴 싫어해, 특히 아랫집 남자가 우릴 죽일 거야, 라고 말한 것뿐이었다.

그때는 분명 현태도 코웃음을 쳤었다. 식후와 샤워 후, 잠들기 전의 담배와 한 시간의 게임, 막무가내로 치는 기타 연주가 자기 삶의 낙이라고 현태는 말했다. 그것도 못 하면 뭐 하러 살아? 하지만 몇 차례의 항의 전화와 방문 이후로 횟수를 줄였다. 담배는 밖에 나가서 피웠다. 하지만 주민 투표로 아파트 전체가 금연 구역으로 바뀐 다음에는 다시 화장실에서 피우기 시작했다. 가스레인지 앞에 서서 환풍기를 켜 놓고 피우기도 했다. 게임은 움직이지 않고 할 수 있는 것들로 바꿨다. 그것들은 현태의 취향에 완전히 부합하지는 않았다. 한 번씩 몸을 움직이는 게임을 했고 그때마다 항의하기 위해 찾아오는 이웃들이 있었다. 애도 없는 집에서 왜 이렇게 쿵쾅거립니까? 말로 끝나는 정도였다. 그리고 옆집 노인이 죽었다. 원래 병을 앓고 있었다. 하지만 현태 생각은 달랐다. 최초 발견자가 아랫집 남자인 것이 수상하다고 했다.

일요일 정오에 아랫집 남자는 노인의 현관을 두드렸다가 문을 열고 안으로 들어갔고 거실에 쓰러진 노인을 발견하고 심폐 소생을 시도했다가 119에 전화를 걸었다고 했다. 경찰에서도 사망 시점을 아랫집 남자가 노인을 발견한 때보다 네다섯 시간 이전으로 추정했다. 아랫집 남자는 그저 열어 둔 베란다 창문으로 베갯잇 하나가 들어와 떨어져 있었는데 그게 노인의 것은 아닐까 물으려고 했다는 것이었다. 엘리베이터의 CCTV에도 남자가 손에 베갯 잇을 들고 있는 것이 보였다. 왜 바로 윗집이 아닌 대각선 윗집부 터 찾아갔느냐는 질문에는 현태네와는 평소 층간 소음으로 사이 가 좋지 않아 내심 노인의 것이기를 바랐기 때문이라고 대답했다. 종희는 그 모든 이야기를 반상회에 모인 사람들에게 들었고 고스 란히 현태에게 전달했다. 엘리베이터에서 남자와 만난 것도 종희 였다. 남자는 이런 일로 용의선상에 오른 것이 어이없다고 했다. 남자는 아무리 그래도 자기가 살인을 할 사람은 못 된다면서 혹시 현태가 죽는다고 해도 자긴 범인이 아닐 거라며 웃었다. 그걸 지 금 농담이라고 하는 건가요? 종희가 불쾌해하자 남자는 농담이어 야 하지 않겠어요? 하고 말하며 종희의 팔꿈치를 툭 쳤다. 종희는 그 일도 현태에게 남김없이 말했다.

현태는 그때만 해도 아랫집 남자가 정말 자길 죽일지도 모른다 고 생각하지는 않았다. 하지만 비슷한 종류의 사건이 뉴스에 보도 된 다음에는 조금씩 의심이 싹트는 것 같았다. 그리고 시간이 지 나자 모든 사람들이 자길 죽이고 싶어 한다고 생각했다. 권고사직 을 당한 후 그 망상은 더 심해졌다. 종희가 일을 하고 있었으므로 여유를 갖고 천천히 새 일자리를 구해 보라고 했지만 현태는 점점 더 불안해했다. 내일이라도 누가 자길 죽일지 모른다는 것이 가장 큰 불안의 이유였다. 네가 조용히 살면 아무도 널 안 죽여, 종희는 그런 말로 달랬다. 현태는 고개를 끄덕였다.

종희가 야근을 하고 돌아온 어느 날 현태는 이미 침대에 누워 잠든 것처럼 보였다. 하지만 종희가 씻고 방으로 들어오자 현태는 기다렸다는 듯 종희에게 말을 걸었다. 죽은 듯이 조용히, 그렇게 살 거면 뭣 하러 살아. 상담을 받아 보라고 권유했지만 현태가 강하게 거부했다. 철없는 투정을 부리는 것만 같아 현태가 원망스러울 때도 있었다. 종희는 차라리 현태의 망상에 맞춰 주자고 생각했다. 시골에 숨어 살자고 했다. 종희 생각에 한 일 년 요양하는 셈치면 될 것 같았다.

여러 위험 요소가 있었다. 재택근무로 전환할 수 있을지 여러 번 면담을 했지만 이루어지지 않아 퇴직을 해야 하는 상황이었고 전세 계약도 아직 일 년이 남아 있었다. 퇴직금으로 일년 생활비는 충당한다 하더라도 다음 일 년은 당장 일을 구할 수 있을지조차 알 수 없었다. 다시 서울로 돌아갈 수 있을지도. 하지만 점점 더 피폐해져 가는 현태를 두고 볼 수만도 없었다. 우린 이제 완전 한 쌍이야. 결혼식을 치르고도 한참이나 바쁘다는 핑계로 미뤘던 혼인신고를 한 날 밤에 현태가 말했었다. 전엔 아니었나? 종희가 투정부리듯 대꾸했다. 이제 더 실감이 나. 현태가 종희를 세게 끌어안았다. 안 놔줄 거야. 종희는 팔로 다리로 자신의 몸에 엉겨드는 현태 때문에 점점 숨이 막혔다. 숨 막힌다고 놓아 달라고 웃으며 소리를 질렀지만 그 압박감에 안정을 느낀다는 것도, 그 안정감이 자신을 흥분시킨다는 것도 잘 알았다.

시어른의 소개로 남해의 작은 마을에 촌집을 구했다. 여러 운이 따랐다. 현태의 사정을 들은 집주인이 나서서 새 세입자를 구했고 전세금도 쉽게 돌려받았다. 은행의 빚을 갚고 남은 돈으로 일이 년 시골살이를 하는 것이 어렵지 않을 듯했다. 시어른이 알려 준 촌집은 전 주인이 리모델링을 했다가 사정상 경매로 나오게 된 물건이었다. 경매는 처음이었지만 시어른의 도움을 받아 운 좋게 낙찰을 받았다. 어쩌면 완전히 시골에 자리를 잡을지도 몰랐다. 모든 결정이 현태의 건강을 위한 것이라 생각하니 쉬웠지만 종희도 얼마간은 쉬고 싶었는지도 몰랐다.

모두의 응원 속에서 현태도 힘을 냈다. 시골집은 교통이 불편한 곳에 있었지만 나다닐 계획이 아니었으므로 크게 상관은 없었다. 담이 없는 주택이어서 맘만 먹으면 누가 집 안을 들여다볼 수도 있을 것 같았지만 내내 곁을 지키는 종희와 무료하게 규칙적으로 반복되는 생활 속에서 현태도 안정을 찾기 시작했다. 현태도 잠적에 완전히 성공했다고 생각하는 것 같았다. 자신을 죽이려는 사람들에게서 벗어난 것이다. 너 그냥 회사 다니기 싫었던 거 아냐? 몇 달이 지나자 그런 농담도 할 수 있었다. 크게 돈 쓸 일이 없으니 벌이가 마땅치 않아도 당장 생활이 어려워지지는 않았다. 그래도 마냥 쉬는 것이 무료해 펜션 일도 구했다. 처음엔 근처 펜션으로 출퇴근하는 식이었다. 규칙적으로 해야 할 일이 생기니 더 살 만해졌다. 계속 이렇게 살아도 되지 않을까? 서울 같은 데로 돌아가지 않아도 되지 않을까? 다행히 두 사람은 그런 데서 의견이 잘 맞았다. 완벽한 한 쌍처럼.

문제는 잘못 발송된 우편물이었다. 이전 집주인에게 온 다양한 종류의 독촉장이었다. 현태의 이름이 쓰여 있지도 않은데 현태는 빨간색 스탬프가 찍힌 우편물을 두려워했다. 찾아오는 사람들도 있었다. 역시 전 주인을 찾아오는 것이었지만 그 사람들은 종희와 현태를 의심했다. 뭔가를 숨겨 두었을 거라 생각하는지 전 주인을 전혀 모른다고 했는데도 계속 캐물었다. 그 사람들이 찾는 게 실은 나인 것은 아닐까? 현태는 다시 그런 생각을 하기 시작했고 종희가 뭐라 말해도 들리지 않는 것 같았다. 세상이 그렇게까지 자기를 중심으로 돌아가지 않아. 현태는 어떤 경로든 이 좁은 대한민국에서 사람들이 자길 찾아내는 건 시간문제라고 여기는 모양이었다. 종희는 현태가 낫지 않으리라는 것을 인정했다. 돌아보면 꾸준히 나빠지는 선택만을 해 온 것 같았다.

2

현태는 여덟 시쯤 방에서 나와 로즈마리와 라벤더가 자라고 있는 화단에 물을 주었다. 이미 세 시에 깨서 줄곧 뒤척였다. 그나마 몸이라도 바쁘게 움직이는 편이 한두 시간의 잠이라도 가능하게 했다. 창이 열리는 소리에 고개를 들어 보니 종희가 베란다로 나와 앉았다. 막 잠에서 깨 세수도 하지 않은 채 부스스한 얼굴이었다. 푸석한 얼굴로 햇볕을 쬐다가 마른세수를 했다. 현태는 손을 들어 보였다. "일어났어?" 종희는 그런 현태를 아무 말 없이 보기만 했다. 머쓱해져 다시 고무호스를 틀어 화단에 물을 주려는데 작은 움직임이 눈에 띄었다. 2층 에메랄드 룸 손님이 베란다에서 담배를 피우며 현태를 내려다보고 있었다. 현태와 눈이 맞자 저쪽에서 먼저 "안녕하세요." 하고 인사했다.

"일찍 일어나셨네요."

현태의 인사에 여자는 "원래 아침잠이 별로 없어요." 하고 대꾸했다.

"늙은이 같죠?"

"뭐, 건강한 거죠."

"어제는 무슨 일이 있었어요?"

"네?"

"사고가 났다던데. 그래서 저희 바비큐 못 했잖아요."

여자의 질문에 현태는 당황했다. 1층의 종희에게 시선을 돌렸다. 종희는 여전히 잠이 덜 깬듯 멍한 표정이었다. 그렇다고는 해도 현태와 2층 여자의 대화를 듣고는 있을 터였다. 쫓아오는 이가 있어 따돌려야만 했다고, 그래서 늦었다고, 사실대로 말할 수는 없었다. 거짓말이 필요했다.

"아, 오는 길에 접촉 사고가 있었어요. 심한 건 아니었지만…… 처리를 하느라 늦었습니다. 죄송합니다."

현태는 말을 마치자마자 바로 종희를 봤지만 종희는 티 테이블 위로 얼굴을 묻고 있어 표정을 알 수 없었다.

"네, 뭐. 사과는 어제 충분히 받았어요. 바비큐 해 먹으려고 온 것도 아니고."

"그래도 잘못한건 저니까……."

여자는 괜찮아요, 라고 말하고 남은 재를 떨고는 방 안으로 들어
갔다. 현태는 다시 호스를 틀었다. 흙이 완전히 흠뻑 젖을 때까지
한참이나 물을 주었다. 일을 마치고 돌아보았을 때 종희는 자리를
뜨고 없었다.

방으로 돌아왔더니 종희는 침대에 누워 있었다. 현태도 그 옆에
잠깐 누워 있자니 종희가 "손 씻고 와." 하고 말했다. 현태가 화장
실에서 손을 씻을 때 누가 방문을 두드렸다. 종희는 꼼짝 않고 누
워서 아무 대답도 안 했기 때문에 현태는 부랴부랴 수건에 손을 닦
으며 "네!" 하고 소리쳤다. 에메랄드 룸의 남자 손님이 찾아와 하
루 더 머물겠다고 했다. 그렇게 즉흥적으로 예약을 연장하는 일은
거의 없었다. 현태는 하루 더 있다가 가기로 했어요, 라고 말하는
남자의 얼굴을 뚫어져라 보았다. 어디서 본 적이 있는 얼굴인가.
각진 얼굴에 희미한 눈썹과 쌍꺼풀 없는 눈, 오똑한 코와 얇은 입
술. 현태보다 키는 반 뼘쯤 크고 운동을 하는지 다부져 보였다.

"하루 더, 머무르신다고요?"

"네, 혹시 다른 예약이 돼 있는 건가요?"

"아뇨. 그런 건 아니고. 저희가 못 챙겨 드린 것도 있는데……."

"그래서 말인데요. 좀 깎아 주실 순 있죠?"

"아, 그래야죠. 그렇게 할게요."

현태는 두 사람에게 평일 요금을 받고 방을 주기로 했다.

"원하시면 방을 옮기셔도 돼요. 다른 방도 지금 예약된 게 없으

니까요. 여자 친구분과도 한번 얘기해 보시고……."

"여자 친구 아닌데요."

"네?"

"여자 친구 아니라고요. 계산은 현금으로 하죠? 저녁에 드릴게요. 방도 그대로 쓸게요."

남자는 필요한 말만 남기고 돌아섰다. 현태가 문을 닫고 돌아와 침대에 눕자 종희가 물었다.

"굳이 변명해야 할 필요가 있었을까?"

"뭐?"

"여자 친구가 아니라고 말이야. 굳이 우리한테 변명할 필요가 있느냔 말이지."

현태도 의아했다. 둘이서 한 방을 쓰면서 굳이 연인 사이가 아니라고 이야기할 필요가 있나. 오히려 오해하도록 내버려 두는 편이 낫지 않을까. 어차피 다시 볼 사이도 아닌데 말이다. 물론 그냥 사실을 말했을 뿐일 수도 있다. 왜 단둘이 이 외딴 바닷가 마을까지 와서 방을 잡았는지는 알 수 없지만 말이다.

"연인이 아니라면 무슨 사이일까? 그냥 친구 사이일까?"

종희의 질문에 현태는 말문이 막혔다. 연인이든 아니든 현태와는 아무 상관이 없는데도 그들이 어떤 사이인지를 알 수 없다는 것만으로도 불안해졌다. 관광하러 온 연인들이 갑자기 정체불명의 사람들로 변한 것이다. 줄곧 자신이 기다렸던, 언제든 자신을 찾으러 올지도 모른다고 생각했던 그 사람들은 아닐까. 갑자기 하룻

밤을 더 연장하는 것도 어제는 자신이 펜션에 없었기 때문일지도
몰랐다.

"무슨 말이 하고 싶은 거야?"

"그냥, 저 사람들이 누군지 궁금할 뿐이야."

현태는 갑자기 방이 덥다는 것을 깨달았다.

"넌 안 궁금해?"

종희의 질문이 몹시 뜨겁다는 것도. 생각하면 할수록 델 것 같
았다. 저 질문에 가까이 가지 말라는 경고등이 켜진 것 같았다. 밤
새 식은 대기가 충분히 열을 받아 데워졌을 시간이었다. 열어 둔
창으로 들어오는 바람에서도 약간의 열기가 느껴졌다. 머리가 팽
팽하게 돌아가기 시작했다. 저 사람들은 도대체 누구지? 왜 우릴
찾아왔지? 왜 하룻밤을 더 머물겠다는 거지? 떠오르는 질문들에
아무런 답을 내릴 수 없게 되자 현태는 불안해졌다. 답이 필요했
다. 보통의 답을 내릴 수도 있었다. 저 사람들은 여행객이다. 펜션
에 묵으러 왔다. 하루 더 쉬고 싶어졌을 뿐이다. 그러나 현태가 원
하는 답은 아니었다. 그것들은 진실이 아니다.

"어제 낮에 누가 왔었어. 검은 왜건을 타고 푸른 등산 모자를 쓴
남자."

"그게 누군데?"

"낚시하러 온 사람. 묵을 곳을 찾는."

"그런데?"

"그냥 가 버렸어. 그래서 네가 했던 말이 떠올랐어. 손님이 아닐

지도 모른다."

현태는 지난밤 자신이 했던 말을 떠올렸다. 마트를 나설 때부터 천천히 자신을 따라왔던 흰색 포터도. 작은 마을이라 대개가 2차로였기 때문에 움직임이 훤히 보였다. 현태가 천천히 달리자 포터도 현태를 추월하지 않고 속도를 맞췄다. 일부러 갓길에 차를 멈춰 세웠을 때 포터는 현태보다 조금 앞질러 가 차를 세웠다. 차에서 내린 남자는 몸이 찌뿌둥한지 좌우로 목을 꺾고 앞뒤로 허리를 돌리며 현태의 차로 걸어와 차창을 두드렸다. 현태는 그때 모두 끝났다고 생각했다. 창문을 내리자 남자는 길을 물었다. 현태는 자신도 초행이라 잘 모른다고 얼버무렸다. 현태는 남자가 차 안을 훑어본다고 느꼈다. 남자가 차로 돌아가 먼저 떠난 다음에 현태는 반대 방향으로 차를 몰았다. 펜션으로 돌아가고 싶지 않았다. 거기는 이미 완전히 들통난 장소다. 어차피 돌아갈 이유도 없었다. 거기에는 종희가 있을 뿐이었다. 함께 있는 것이 더 위험하지 않을까. 현태는 멀리 달아나자고 마음먹고 한참을 차를 몰았다. 시를 벗어났다. 먼저 바다가 사라졌다. 건물이 높아지면서 하늘도 사라졌다. 산꼭대기까지 빽빽이 건물이 들어서 있었다. 거리에 사람이 많아졌다. 숨기에는 도시가 더 제격인 것이 아닐까. 어느새 현태는 고속 도로로 진입했다. 사방의 차들이 다 자기를 쫓는 것 같았다.

현태는 다음 인터체인지에서 빠져나와 펜션으로 향했다. 도착했을 때는 자정이었고 어떤 변명을 해도 말이 안 될 것 같았지만 현태는 자신이 겪은 일을, 그에 대한 자신의 해석을 솔직히 털어놓았다. 종희의 반응이 어땠더라? 그런 것까지 선명하게 기억나지는 않았다. 현태는 당장이라도 누가 찾아와 자신의 손목을 낚아챈다 해도 놀라지 않겠다고 마음을 다잡았다. 하지만 누가 정말 나타난다면, 푸른 등산 모자가 바로 그럴 수 있는 사람이었다면 현태는 놀라지 않을 수 있을까.

종희가 잠깐 산책을 하겠다고 펜션을 나섰다. 해변을 따라 걷다가 돌아올 것이다. 현태는 함께 가자고 하지 않았다. 방에 가만히 앉아서 2층의 움직임에 귀를 기울였다. 손님들은 오전 내 객실에만 머물렀다. 펜션 바로 앞에 있는 바다에도 나가지 않았다. 어제 실컷 구경을 한 걸까. 소리도 거의 내지 않아서 방에 있기는 한 건지 궁금해졌다. 청소를 핑계 삼아 2층으로 올라가 복도를 밀대로 닦았다. 가벼운 웃음소리가 한 번씩 새어 나올 뿐 별다른 소리는 없었다. 왜 웃는 것일까. 무엇을 상상하며 웃는 것일까. 모든 것이 이유가 될 수 있었다. 현태는 자신에게 가장 해로운 이유를 찾는 데 정신이 팔려 있었다. 그리고 그 단어가 들려왔다.

"오늘 밤······."

현태는 그 단어를 듣고 오늘 밤 무슨 일이 일어나리라는 것을 알았다. "밖에 누가 있나?" 하고 말하는 것도 들었다. 짐짓 아무렇지 않은 척 계속 걸레질을 했다. 곧 웃음소리도 없이 잠잠해지고 자신의 걸레질 소리만 들리자 안의 손님들이 문에 귀를 대고 자신의 소리를 좇는 것만 같아 서둘러 일을 마치고 1층으로 내려왔다.

종희는 조개를 주워 왔다. 또 해변에 조개가 밀려왔다고 했다. 마을 사람들 몇몇이 나와 줍고 있었다고 했다. 종희는 아무 일도 없다는 듯 쾌활하게 설명했다.

"명주조개라는 사람도 있고 떡조개라는 사람도 있더라."

"어떤 게 맞을까?"

"뭔 상관이야. 둘 다 아닐 수도 있고."

현태는 고개를 끄덕였다. 종희 말대로 둘 다 틀릴 수도 있었다. 하지만 이 조개에도 분명히 이름이 있을 거라고 생각하니 궁금해졌다.

"아, 나 그거 인터넷에도 올렸었는데."

종희는 답이 달렸는지 확인했다.

"하하, 웃긴다. 답변이 뭐라고 달렸는지 알아?"

현태가 고개를 젓자 종희는 답변을 읽었다.

"명주조개 아니면 떡조개인 것 같습니다. 둘이 되게 비슷하게 생겼나 보다."

종희는 명주조개와 떡조개 사진을 검색해서는 차례로 현태에게 보여 주었다. 둘은 종희가 잡아 온 조개와 사진을 비교해 보기도 했다. 별 차이가 없어 보여 어떤 이름이 맞는지 두 사람도 확신할 수 없었다.

"근데 사람들은 왜 일일이 그 많은 조개들을 분류하고 이름을 지어 주는 걸까."

"어디에 독이 있는지 가려내야 하니까 그런 거 아닐까. 그거 해

감이 잘 안 되는 종류니까 삶은 다음에 검은 모래집을 잘라 내라고
하더라."

"누가 그래?"

"마을 사람이겠지? 좀 나이가 있는 할머니였어."

종희는 바닷물에 발을 담그고 서서 그 설명을 들었다고 했다.
오래 살면서 독이 있는 건 피해 주워 먹고 산 사람일 테니 믿을 만
했다. 실제로 처음 이 조개를 먹었을 때도 모래가 제법 씹혔었다.
종희 말이 맞았다. 독을 피해야 한다. 위험한 것들에는 이름이 붙
어야 했다. 밀려온 파도가 발목을 간질이며 휘돌아 나갈 때마다
종희는 자신의 발이 점점 모래 속으로 파묻힌다고 생각했다. 얕은
바다의 물이기 때문인지 미지근했다.

"그거 알아? 새가 바닷속으로 들어가면 조개가 된대."

현태는 종희가 한 말을 머릿속으로 그려 보는 듯했다. 종희는
그 이야기도 마을 사람에게서 들었다. 그거 알아요? 옛말에 새가
바다로 들어가서 조개가 된다는 얘기가 있어요. 새조개 같은 걸
보고 생각해 낸 말일까요? 현태는 그 말이 무척 마음에 들었다. 새
가 바다로 들어가서 죽지 않고 아주 다른 것이 된다는 이야기가.

"물이 아주 따뜻하더라."

현태는 작은 플라스틱 대야에 물을 받아 조개들을 쏟았다. 어떤
것들은 여전히 입을 꽉 다물고 있고 어떤 것들은 힘이 없는지 아귀
가 꼭 맞아 맞물려 있어야 할 껍데기가 살짝 벌어져 있었다. 개중
엔 깨진 패각도 있었다.

"그러고 보니 조개는 완전한 한 쌍이네. 둘 중 한쪽만 깨져도 갖고 있던 속살이 다 썩어 문드러지는 거야."

현태는 깨진 패각을 들어 냄새를 맡아 보고는 쓰레기봉투에 버렸다.

저녁에 다시 확인해 보았을 때 몇몇은 살을 밖으로 내놓고 물을 찍찍 쏘아 댔지만 여전히 입만 살짝 벌린 채인 것들도 있었다. 현태는 베란다에 앉아 있는 종희를 불러 이미 상한 것은 아닌지, 먹어도 되는 것인지 물었다. 조개 하나를 들어 엄지와 검지로 눌러 본 종희는 먹어도 상관없다고 말했다. 현태는 먹어도 안 죽는다는 종희의 말에 안심했다. 쏘아 대는 말투나 빈정거림은 중요하지 않았다. 종희가 안 죽는다고 하니 안 죽을 것이다. 그것이 중요했다. 위험한 것은 상한 조개 같은 게 아니었다. 종희는 아랫집 남자가 현태를 죽일지도 모른다고 말했었다. 엘리베이터에서 봤는데, 너가 죽는다고 해도 자긴 범인이 아닐 거라면서 웃더라. 세상에 사람 죽여 놓고 자기가 죽였다는 사람이 어딨겠어? 어쩌다가 눈이 맞았는데 진짜 오싹하더라. 그 사람 혼자 살지? 어디서 일한다고 들었는데 까먹었네. 옷에서도 약간 비린내 같기도 하고 쇠 냄새 같기도 한 이상한 냄새가 나던데 갑자기 소름이 끼치는 거 있지. 얼추 해감된 조개를 끓는 물에 쏟자 금세 다 죽어 버렸다. 다 삶은 다음에도 입을 꾹 다문 것이 있어 억지로 벌려 보니 검은 모래로 가득했다.

종희와 현태가 저녁을 먹을 때 에메랄드 룸의 손님들이 해변을 걷고 있는 것이 보였다. 멀어서 잘 보이지 않았지만 나갈 때의 옷차림과 틀림없는 것 같았다. 현태는 종희가 일러 준 대로 조개의 모래집을 잘라 냈다. 종희는 거의 씹히지 않는다며 그냥 먹었다. 모래 서걱이는 소리가 현태에게도 들리는 것 같았다. 손님들은 해변에 멈춰 서서 바다를 보고 있었다. 오늘 밤의 일을 계획하는 것은 아닐까. 아무래도 객실에서는 누가 들을까 염려되어 밖으로 나간 것일지도 몰랐다.

"저 사람들은 누구지?"

현태가 종희에게 물었다. 종희는 어깨를 으쓱하더니 말했다.

"그냥 관광객이지 않을까?"

"관광객일까?"

"별로 관광은 안 하는 것 같긴 하지? 그냥 쉬러 왔을 수도 있지."

"하지만 연인 사이도 아니라고."

"부부 아닐까. 여자 친구가 아니라 아내라는 걸지도 몰라."

"그래, 그럴 수도 있겠다⋯⋯."

아닐 수도 있었다. 빈 조개껍데기가 대야에 수북이 쌓였다. 식사를 마친 후 종희가 설거지를 하는 사이 현태는 에메랄드 룸에 몰래 들어가 보기로 했다. 해변에서 펜션까지 직선거리는 가까워도 길이 없어 한참을 돌아가야 했으므로 해변에 있던 손님들도 금세 돌아오지는 못할 것이었다.

방은 조금 어지럽혀져 있을 뿐 특별할 것이 없어 보였다. 입던

옷이 침대에 던져져 있었고 싱크대에는 씻지 않은 컵이 있었다. 현태는 베란다의 창 아래에 있는 검은 백팩을 열어 보고 싶었다. 그 안에 뭔가 들어 있지 않을까.

"너 뭐 하는 거야?"

설거지를 마쳤는지 종희가 2층으로 올라와 방문을 열고 소리쳤다.

"그냥, 확인하려는 거야."

현태는 역시 가방을 열어 보아야겠다고 결정했다. 지퍼가 가방을 가를 때 짜릿한 느낌이 들었다. 종희가 달려와 현태를 말리려다 현태가 휘저은 팔에 얼굴을 맞았다. 현태는 미안하다고 말했지만 가방을 포기할 마음은 없었다. 종희는 얼굴을 감싸 쥐고 밖으로 나갔다. 가방 안에는 얇은 카디건과 작은 파우치가 하나 들어 있었다. 현태는 그것도 열어 볼 작정이었다.

"지금 뭐 하시는 겁니까?"

에메랄드 룸의 남자였다. 남자의 뒤에 선 여자가 어이없다는 듯한 표정을 짓고 있었다. 창밖을 보니 해변의 손님들은 여전히 거기에 있었다. 잘못 본 것이다. 남자는 현태에게 달려들지는 않았다. 문간에 서서 욕설을 퍼부어 댔다. 현태가 천천히 자리에서 일어났을 때 남자가 말했다.

"씨발 놈이, 미친 거 아냐."

그 말은 모든 것을 식게 만들었다. 현태는 달아올랐던 기류가 서늘해지는 것을 느꼈다. 불안감이 사라졌다. 이들의 정체를 알았다. 적이다. 확신과 함께 서서히 안도감이 밀려왔다.

3

그날 밤 현태는 숨을 헐떡이며 방으로 돌아왔다. 침대 위에 종희는 없었다. 모든 것을 끝냈다고 말하고 싶었다. 얼른 도망쳐야 한다고도 말하고 싶었다. 잠깐 베란다에 나간 것일까 싶었지만 거기에도 종희는 없었다. 화장실도 불이 꺼져 있었다. 밖으로 나간 것일까. 정원에 있는 건 아닐까. 현태는 베란다로 나가 어딘가 있을지도 모를 종희의 흔적을 찾으려 애썼다. 멀리 해변의 모래사장을 걷는 그림자가 하나 보였다. 종희일까. 종희일 수도 있고 아닐 수도 있었다. 창밖으로 몸을 내미니 차양에 가려 보이지 않던 달이 보였다. 달은 희게 빛나고 있었다. 해보다도 뜨거워 보였다. 바람이 없어 파도는 잔잔했다. 공기가 거의 움직이지 않아 풍경도 흐트러짐이 없었다. 모두가 정물 같았다. 한 장의 사진 같기도 했다.

해변을 걷던 그림자가 돌연 바닷속으로 뛰어들었다. 저것은 종희일까 아닐까. 먼바다 쪽으로 헤엄쳐 간 그림자는 이쯤이면 좋다 싶었는지 이제 물 위에 둥둥 떠 있었다. 한순간 바닷속으로 사라졌다가 다시 수면 위로 떠올랐다. 바다 위의 부표들이 흔들렸다. 그림자는 잠수해 들어갔다가 떠오르기를 반복했다. 다시 수면 위로 나오는 간격이 길어지면 가슴이 철렁했다. 지켜보고 있을 것이 아니라 바다로 달려가 그림자를 구해야 하는 것이 아닐까. 하지만 보지 않는 사이 사라질 것만 같아 눈을 뗄 수 없었다. 한참이나 그림자를 노려본 현태는 그것이 부표라는 것을 알았다. 현태의 눈동자는 바삐 움직이며 바다 위를 샅샅이 훑었다. 그림자는 어디로 갔는지 보이지 않았다. 다시 해변으로 돌아 나왔을지도 모른다. 더 멀리 가 버렸을 수도 있었다. 가라앉고 있는 중일지도 몰랐다. 현태는 해변으로 달려 나갔다. 이미 그림자는 보이지 않았지만 현태는 바닷속으로 들어갔다.

다음 날 해변으로 빈 조개껍데기들이 마구 밀려왔다. 종희는 그 현상을 일컬을 하나의 단어가 필요하다고 생각했다.

박민정

2009년 단편 소설 「생시몽 백작의 사생활」로 『작가세계』 신인상을 받으며
작품 활동을 시작했다. 소설집 『유령이 신체를 얻을 때』, 『아내들의 학교』,
『바비의 분위기』, 장편 소설 『미스 플라이트』, 『서독 이모』 등이 있다.
김준성문학상, 문지문학상, 젊은작가상 대상, 현대문학상을 수상했다.

세실, 주희

공교롭게도 오늘이 바로 화요일이었다. 주희는 '참회의 화요일'이란 말은 오늘 같은 날에 딱 어울린다고 생각했다. 참회의 화요일이 지나면 '재의 수요일'이 온다고 했다. 그날이 사순절이 시작되는 때라고도. 주희는 예수교를 믿지 않았고 사순절이라는 말을 들어 본 적도 없었다. 사순절은 예수교, 구교의 신자들이 이마에 재를 바르고 예수 그리스도의 고난을 돌아보며 사십 일간 금식과 묵상을 하는 교회력의 절기라고 했다. 참회와 금욕의 절기라는 설명을 들었을 때 주희는 언젠가 잡지에서 본 트라피스트 수녀원의 사진을 떠올렸다. 한여름에 밀짚모자를 쓰고 논일을 하는 수녀들의 모습이 담긴 사진이었다. 자급자족 공동체에서 묵묵히 땅을 일구는 수녀원의 노동자들, 극기의 수도 생활을 감수하는 수녀들의 이미지.

마르디 그라Mardi Gras, 참회의 화요일. 그날, 뉴올리언스의 펍에서 처음 들은 말이었다. 참회의 화요일은 '기름진 화요일'이라고도 불렸다. 단식을 해야 하는 사순절이 시작되기 전 마음껏 먹고 즐기는 날이라는 뜻에서라고 했다. 오늘이 바로 그 축제의 정점이라며 둘러앉은 사람들이 떠들었다. 듣고만 있던 주희가 그들에게 트라피스트 수녀원에 대한 이야기를 하자 다들 웃음을 터뜨렸다. 역시, 역시 동양 여자. 그 말을 지껄였던 녀석의 이름도 얼굴도 기억나지 않았다. 그 자리에 같이 있던 사람들 중 누구도 친구가 아니었다. 주희는 미국 여행 내내 아무에게나 다가가 말을 걸고 눈인사를 하며 아무렇지 않게 '친구'라는 호칭을 쓰는 J가 불편했다. 하지만 그녀가 아니었다면 미국 여행은 꿈꿔 볼 수도 없었으므로 주희는 불만을 털어놓을 수 없었다.

어디서부터 문제였던 걸까. 주희는 생각했다. 그날 너무 취했기 때문에? 잘 마시지도 못하는 술을 즐겨 본다고 펍에 들렀기 때문에? 외국 여행을 하면 펍에 한번 들러 보고 싶었기 때문에? 그러나 사태의 원인이 자기 탓만은 아닌 것 같다는 생각도 들었다. 주희는 줄곧 J를 따라다녔다. 그렇기에 다른 방식으로 질문을 던져 볼 수도 있었다. J가 가 보자고 했기 때문에?

주희는 J를 따라다니기만 하면 되었다. 뉴올리언스는 그녀가 어릴 때 살았던 곳이었다. 행선지를 전부 그녀가 정했고 숙소 역시 그녀의 친척 집이었다. 저렴한 경비에 숙소를 얻어 주희는 J에게 그저 감사했다. 그 일이 있기 전까지는. 그날 주희를 펍에 데려간 사람도 그녀였다. 가 볼래? 펍에 가기 전에도, 마르디 그라 축제

한가운데 뛰어들기 전에도 그녀는 주희의 의사를 존중하듯 그렇게 물었다. 주희는 평소처럼 고개를 끄덕였던 그때의 자신을 깊이 저주했다.

싸구려 자개와 구슬을 잔뜩 엮은 목걸이를 목에 걸고, 사방에서 터지는 핸드폰 카메라 플래시에 눈이 동그래져 어리둥절하게 서 있는 자기 모습이 머릿속에서 지워지지 않았다. 끝내 몰랐다면, 동영상의 존재를 알지 못했다면, 이렇게까지 끔찍한 기억으로 남지는 않을 것이었다. 여권에 찍힌 미국 입국 기록을 보며 흐뭇해할 수도 있었다. 한낮의 버번 스트리트와 로열 스트리트 쇼핑몰은 주희에게 천국이었다. 주희는 그곳에서 수많은 화장품을 눈에 담았다.

그 일은 팔 일의 여행 기간 중 단 하루, 그것도 아주 잠시 동안 벌어졌을 뿐이다. 펍에서 나와 십 분 정도 걸었을 때였다. 군중에 휩쓸려 물에 떠내려가듯 걷던 그때를 주희는 생생하게 기억했다. 그들이 버번 스트리트에 도착했을 때는 새벽이었고 화려한 퍼레이드는 이미 끝나 있었지만 술과 마약에 취해 비틀거리는 사람들이 태반이었다. 흥분한 사람들이 거리에서 술을 마시고 고함을 지르는 풍경은 클럽을 출입하는 젊은이들로 가득한 홍대나 이태원 거리의 모습과 다를 게 없었다. 분명 쌀쌀한 늦겨울이었으나 국가대항 축구 경기에서 승리감을 맛본 사람들의 폭발적인 함성이 흘러넘치는 뜨거운 여름밤 같다고도 주희는 생각했다. 문득 자신을 둘러싼 남자들이 같은 구호를 외치고 있다는 것을 깨닫기 전까지는. 주희는 왜 남자들이 자신을 둘러싸고 있는지 알지 못했다. 그날 처음 펍에서 만난 녀석들도 J도 보이지 않았다. 분명 다 같이 걷고 있다고 생각했는데……. 주희는 겁에 질려 들고 있던 플라스틱 맥주 컵을 꼭 쥐었다. 남자들이 주희를 가운데 세운 채 원을 그리며 빙글빙글 돌았다. 주희를 에워싼 행렬의 밀도가 높아지며 그들이 외치는 구호가 더욱 또렷하게 주희의 귀에 박혔다. 순간 어떤 손이 주희의 목덜미를 스쳤다. 주희는 자신의 목을 내려다봤다. 자개와 구슬이 섞인 비즈 목걸이가 설려 있었다. 주희의 바로 옆에서 남자들이 외치는 구호와 골목에 면해 다닥다닥 붙은 맨션과 클럽의 베란다에서 이쪽을 내려다보며 외치는 사람들의 구호는 같았다. show your tits! show your tits!

그 순간이 동영상에 박제되어 있었다. 주희의 한 대학 친구가 여기에서 널 봤어, 어서 들어가 봐, 하고 다급하게 문자를 보내 왔다. 'yeslut'라는 사이트 이름을 본 주희는 소스라치게 놀랐다. 친구가 보내 준 주소를 클릭하자 사이트의 'Mardi Gras' 카테고리에 게시된 주희의 영상이 떴다. 'Mardi Gras, nice asian slut 43%'라는 제목을 달고 있었다. 동그래진 눈으로 멈춰 서서 사방을 둘러보는 주희의 모습이 십팔 초 동안 이어졌다. 비즈 목걸이를 걸던 남자가 주희의 어깨에 바짝 붙어 있었다. 어서 입고 있는 니트를 들어 올려! 네 벗은 가슴을 보여 달라고!

그 골목에서 남자들은 아무에게나 가슴을 보여 달라고 외쳤고, 술에 취한 어떤 여자들은 목걸이를 받고 정말로 가슴을 보여 줬다.

뒷골목에서는 더한 일도 벌어지는 것 같았다. 주희는 그날 봤던 풍경을 떠올리며 골목 안으로 빨려 들어가듯 마르디 그라 게시판에 있는 또 다른 여자의 영상을 재생했다. 'slut 97%'. 영상 속 그녀는 자신을 찍는 카메라에 브이를 그려 보이며 옷을 전부 벗어 들고 흔들었다. 목걸이를 어찌나 많이 걸쳤는지 목이 툭 꺾어질 것 같았다. 주희가 용기를 내서 다시 자기 영상을 재생했을 때, 끝내 옷을 벗지 않은 자신의 얼굴이 클로즈업되며 그 위로 영어 자막이 지나갔다. '우린 네 얼굴을 알고 있어, 쌍년아.'

그것이 사순절을 맞이하는 마르디 그라였다. 동영상을 보게 된 날은 하필 화요일이었고 주희는 오늘 같은 날이야말로 참회의 화요일이란 말에 적합하다고 생각했다.

명동에서도 변화가 한가운데에 있는 쥬쥬하우스에는 외국인 고객이 압도적으로 많았다. 주희는 뉴올리언스에 다녀온 직후 쥬쥬하우스에 취직했다. 쥬쥬하우스는 국내 최대의 뷰티 편집 숍으로 전국에 수많은 체인을 갖고 있었다. 그중에서도 명동 쥬쥬하우스는 가장 규모가 컸다. 주희는 쥬쥬하우스에서 매니저로 일하고 있다는 것에 자부심을 느꼈다. 쥬쥬하우스의 제품은 서울에 여행 온 외국인이 가장 선호하는 기념품이었다. '한국 화장품은 가격이 저렴한 데다 품질이 우수합니다.' '역시 한국 화장품은 세계 최고입니다.' SNS에 쥬쥬하우스를 검색하면 그런 품평들이 쏟아졌다. 주희는 수시로 'JUJUHOUSE'와 'JUJUHOUSE, Myeongdong'이라는 태그를 넣어 검색했다. 'Koreanbeauty'라는 태그를 함께 달고 있는 경우가 많았다. 주로 외국인을 상대하다 보니 주희는 그들이 떠올리는 한국의 이미지가 대체로 어떤 것인지 알 수 있었다. 한국 드라마와 K-pop의 높은 인기는 이제 'Korean beauty'에 집약되어 있었다. 드라마에 출연하는 여배우들과 무대에 서는 걸 그룹 멤버의 이미지 덕택이었다. 명동 화상품 거리는 성형외과가 밀집되어 있는 신사동과 함께 코리안 뷰티의 상징이었다. 전 세계 여성을 잠재 고객으로. 신사동과 명동만큼 여성을 환대하는 공간이 서울에 또 있을까? 주희는 그런 생각을 해 보기도 했다. 코리안 뷰티의 상징 중에서도 상징인 명동 쥬쥬하우스의 매니저라는 자부심 끝에는 그 여행의 기억이 불쑥 떠올라 괴롭기도 했다.

"역시 한국 여자는 예쁘고 스타일이 좋은 것 같아요."

주희는 뉴올리언스의 어느 골목에서 그런 말을 들었었다. 그리고 얼마 전, 세실에게서도.

나카소네 세실(仲宗根セシル)은 주희보다 반년 늦게 입사한 일본인 직원이었다. 명동점의 주요 고객이 외국인인 터라 매니저도 대부분 외국인이었다. 그들 상당수가 중국인과 일본인이었고, 한국어는 그다지 잘하지 못했다. 세실은 명동점에서 일하는 외국인 직원 중 가장 한국말을 잘했다. 한국인 고등학생 무리가 왁자지껄 떠들어 대며 물어봐도 당황하지 않고 응대하는 세실을 보며 주희

는 감탄했다. 한국인 고객이 질문할 때마다 자신의 팔을 잡아끌던 다른 직원들과는 확실히 달랐다.

주희는 언젠가 세실에게 물어본 적이 있었다.

"세실은 왜 한국에 왔어요?"

"유노윤호 때문에요."

세실은 들떠 있었다. '유노 때문에'라고 세실은 거듭 말했다. 유노윤호가 소속된 그룹 동방신기는 오랫동안 일본에서 활동했다. 일본 사람들에게 '유노'가 얼마나 편안한 발음이었을지 주희는 생각했다.

"윤호는 일본에서도 볼 수 있지 않아요?"

"주희 씨는 연예인을 좋아해 본 적 없죠?"

세실은 미소 지으며 말했다. 광주에 가 본 적 있어요? 서울에서 기차를 타고도 한참 가야 한다면서요? 광주가 유노의 고향이에요. 휴가를 받으면 남부 지방 광주에 꼭 가 보려고요. 유노가 살던 동네랑, 그가 다닌 고등학교에도.

주희는 세실이 말한 '광주'를 곱씹었다. 세실이 발음하기에는 어려운 단어인 것 같았다. 수원에서 태어나 자란 주희 역시 전라도 광주에 가 본 적은 없었다.

"그래도 윤호 때문만은 아니죠?"

"아니, 유노 때문이에요."

그 말을 끝으로 그날의 대화는 끝났다. 주희로서는 결코 이해할 수 없는 삶이었다. 좋아하는 연예인 하나 때문에 타국에서 외국인 노동자로 살아가는 삶. 주희에게도 한국이 아닌 다른 나라에서 살고 싶다는 욕망이 있기는 했다. 어렸을 때부터 열심히 영어를 공부한 것도 그 때문이었고 틈만 나면 워킹 홀리데이나 청년 레지던시 프로그램을 검색해 보기도 했다. 그런데 고작 유노윤호 하나 때문이라니.

입사한 지 두어 달이 지났을 즈음 세실은 주희에게 갑작스러운 제안을 했다.

"주말에 부업하지 않을래요? 단 하루만 내게 시간을 내주면 돼요."

✳

주희는 동영상을 보게 된 후 자주 악몽에 시달렸다. 그 꿈에서 겁에 질려 서 있는 자신을 남자들이 에워쌌다. 당시에는 자신이 겪은 일이 얼마나 끔찍한 종류의 것인지 알지 못했다. 한국에 돌아올 때 비즈 목걸이를 챙겨 오기까지 했었다. 주희의 옆에 바짝 붙어 그 니트를 들어 올려, 라고 낮은 목소리로 재촉하던 남자가 건 목걸이를. J가 축제에서 비즈 목걸이를 열 개나 받았다고 즐겁게 이야기했기 때문이었다. 그러면 너도 가슴을 보여 주고 받았어? 주희는 그렇게 묻지 않았다. 알아서 잘했겠지. 바보 같은 선택은 절대 하지 않는 너니까. 주희는 J를 물끄러미 바라보며 그렇게 생각했을 뿐이다.

언젠가 런던의 펍에서 8개국 친구들과 모여 앉아 각자의 모국어로 「인터내셔널가」를 합창했다는 J의 이야기를 들으며 주희는 거리감을 느꼈다. 나는 한국 버전으로 한 소절, 북한 버전으로 한 소절, 그렇게 불렀잖아. 친구들이 환호성을 질렀어. 주희는 「인터내셔널가」를 들어 본 적도 없었다. 그날 뉴올리언스의 펍에서도 J는 유창한 영어로 사람들과 방담을 즐겼다. 그녀는 어디로 여행을 가든 현지인과 대화하는 것이 가장 큰 즐거움이라고 했다. 멍청한 한국 애들이랑은 말도 섞기 싫다는 게 J의 말버릇이었다. 토론 같은 건 할 줄 모르고 그저 언성만 높일 줄 아는 멍청이들. 그런 말을 들을 때마다 나도 그랬었나, 주희는 곱씹어 봤다. 그날 펍에서도 J는 처음 만난 사람들에게 서슴없이 친구라고 하며 진지한 이야기를 나눴다. 주희는 대화에 거의 끼지 못했다. 영어 문제가 아니었다. 뉴올리언스에 오기 전에 나름대로 검색해 본다고 해 봤지만 주희는 마르디 그라에 대해서도, 2005년 뉴올리언스 전체를 비극에 빠뜨린 허리케인 카트리나에 대해서도 알지 못했다. 겨우 한마디 하면 곧바로 대화의 맥이 끊겨 버리곤 해서 차라리 입 다물고 앉아 있는 게 편했다. 이쪽을 쳐다봐 주지 않는 J만 애타게 바라보면서.

인터넷에는 뉴올리언스 여행 후기와 더불어 마르디 그라에 대한 찬사가 넘쳐 났다. 비즈 목걸이만 건네주면 여자들이 가슴을 보여 주기도 한다니, 남자들에게는 최고의 축제 아닌가요? 마르디 그라는 자유와 해방의 축제입니다. 주희는 쌍욕을 뱉으며 마우스를 집어 던졌다. 왜 내가 포르노 사이트에 올라 있어야 하지? 나는 옷을 벗지도 않았는데? 거기 가만히 서 있기만 했는데. 그런 걸 보고 좋아하는 그들의 고객이 존재한단 말이야? 포르노 사이트 링크를 보내 준 친구에게 말하고 싶었으나 주희는 곧 마음을 돌렸다. 애초에 너는 왜 거기서 나를 발견했던 거였니. 왜 그 사이트에 접속했던 거였니. 그에게 물어볼 수 없었다. 97퍼센트의 그 여자는 자기 모습이 포르노 사이트에 전시되어 있다는 걸 알고 있을까. 당신은 대체 어떤 좆 같은 해방감에 취해 옷을 다 벗었던 건가요?

주희는 문득 세실에게 털어놓고 싶었다.

세실이 없는 방에서 그녀를 기다리며 주희는 이런 이야기를 하면 세실이 어떻게 반응할까 생각했다. 자신의 얼굴이 포르노 사이트에 걸려 있다는 이야기를 세실에게 털어놓는다면. 하지만 세실에게는 결코 이야기할 수 없을 것이었다. 주희는 세실의 방에 처음 오던 날을 생각했다.

일요일 오후 두 사람은 명동 입구에서 만났다. 세실의 제안은 일요일 오후를 자신에게 써 달라는 것이었다. 세실은 그 말을 한국어로 했다. 나 한국어 공부해야 돼요. 더 잘해야 돼요. 세실은 돈을 줄 테니 일요일 오후에 자신의 고시원에서 한국어 능력 시험 준비를 도와 달라고, 한국말로 대화하며 시간을 보내 달라고 했다. 자신도 유노의 모국어인 한국어를 유창하게 구사하고 싶은데 쥬쥬하우스에서 일하는 것으로는 도통 한국말을 배울 수가 없다고 했다. 세실이 주로 상대하는 고객은 일본인들이었다.

세실이 살고 있는 곳은 신당동 뒷골목의 고시원이었다. 수업하기로 한 첫날 명동 입구에서 만나 함께 지하철을 타러 가는데 세실이 환전소 앞에서 발걸음을 멈췄다. 잠시 들렀다 오겠다던 세실이 긴 머리를 묶은 뚱뚱한 남자와 웃으며 나왔다. 하이 파이브를 하며 헤어지는 두 사람은 퍽 친근한 관계로 보였다. 주희는 저도 모르게 인상을 찌푸렸다. 초겨울에 늘어진 러닝셔츠를 입은 남자의 행색이 꼴사납다고 생각했다. 세실은 주희의 눈치를 살피며 말했다.

"아, 마모루 상, 다카키 마모루 상. 내 친구예요. 주희 씨 예쁘다던데요."

주희는 그 말에 기분이 상했지만 내색하지 않으려 애쓰며 세실과 함께 역으로 향했다. 하지만 지하철 안에서도 주희는 내내 그 남자를 생각했다. 왠지 좋아 보이지 않았다. 남자의 험상궂은 얼굴이 자꾸 떠올랐다. 세실은 지하철에서 내려 고시원까지 가는 길에도 몇 사람과 더 인사를 했다. 주희의 눈에는 하나같이 가난하고 초라해 보이는 남자들이었다. 주희는 이런 생각이 자신을 더욱 초라한 사람으로 만든다는 것을 알았다. 그래서 더욱 불쾌했다.

주희로서는 대학을 졸업하고 처음 가 보는 고시원이었다. 대학 친구들은 고시원에 많이 살았었다. 주희도 본가가 수도권에 있지 않았다면 고시원에 살았을 거였다. 아무리 좋아졌다고 해도 고시원이라는 곳은 여전히 사람을 우울하게 만들었다. 세실이 사는 곳은 '소호텔'이라는 이름을 달고 있었다. 손바닥만 한 창문과 화장실이 딸렸다는 이유로 터무니없이 비싼 돈을 월세로 받을 것이 분명했다. 세실은 환하게 웃으며 발랄하게 말했다.

"내 방 괜찮죠? 방음도 무척 잘돼요. 그렇지 않았다면 여기서 한
국어 공부를 할 수 있을 리가 없죠!"

세실은 공동 주방에서 간식거리를 만들어 오겠다고 했다. 그 후
에도 세실은 주희가 찾아갈 때마다 공동 주방에서 간식거리를 만
들어 왔다. 세실이 자리를 비운 방에서 매번 주희는 그녀의 흔적
을 둘러보며 심란해졌다. 일인용 침대와 작은 책상 하나, 안이 훤
히 들여다보이는 투명한 화장실 문, 옷장 옆 커다란 캐리어……
그럴 때면 침대맡에 걸린 커다란 유노윤호의 사진을 가만히 노려
보기도 했다.

첫날 주희와 세실은 다퉜다. 그날 바로 화해하지 않았다면 일요
일 오후의 한국어 과외는 없던 일이 되었을 것이었다. 세실은 그
날, 환전소 직원부터 신당동 떡볶이집의 아르바이트생까지 고시
원으로 오는 길에 만난 일본 남자들 대부분이 주희의 외모를 칭찬
했다고 말했다. 주희는 그런 말을 좋아하지 않았다. 동영상을 본
이후에는 더욱 그랬다. 세실은 그런 말을 칭찬이라고 여기는 모양
인지 계속 떠들어 댔다. 마모루 상 역시 예쁘다고 잘 하지 않는 사
람인데, 나도 놀라 버렸어요. 하지만 주희 씨는 특히 일본 남자들
이 좋아할 얼굴이니까. 귀여운 느낌이니까. 다음 말을 들으며 주
희는 순간 귀를 의심했다.

"주희 씨도 성형을 좀 했겠죠? 한국 여자분들은 성형을 많이 하
니까요. 보편적으로."

주희는 그녀가 '보편적으로'라는 단어를 안다는 사실과, 그렇게 무례한 말을 웃는 얼굴로 한다는 사실에 모두 놀랐다. 주희는 인상을 찌푸리며 대꾸했다.

"세실 상, 그런 말은 하는 거 아니에요. 일본에선 그런 말을 아무렇지도 않게 하나요?"

"왜요? 미인이라서 그런 건데요. 또 한국 여자는 성형을 많이 하기도 하고요."

"한국 여자가 성형을 많이 한다고요? 그러면 일본 여자 대부분은 AV를 찍나요?"

세실의 얼굴이 굳어졌다. 주희는 자기 말에 놀랐지만 계속 말을 이어 갔다.

"그런 말이나 다름없는 거예요. 알겠어요?"

입을 꼭 다물고 있던 세실이 울기 시작했다. 주희는 한 시간 동안이나 세실을 달래야만 했다. 미안하다는 말을 거듭하면서. 그날은 그걸로 끝이었다. 헤어지며 세실은 주희에게 돈을 챙겨 주려 했다. 받지 않으려 하는 주희에게 세실은 기어코 돈을 건네주었다.

"내가 바라는 게 그냥 이런 거예요. 대단한 공부 이런 게 아니고, 나와 대화해 주는 거요. 아무튼 다시는 주희 씨를 화나게 하는 말은 하지 않을게요."

다음 날 쥬쥬하우스에서 마주친 세실은 주희의 앞치마 주머니에 뭔가를 집어넣더니 빠른 걸음으로 자리를 떴다. 한국인들에게 인기가 높은 일본 가네보사의 폼 클렌저였다. 장미꽃 모양으로 거품이 나오는 것으로 유명했다. 폼 클렌저에 포스트잇이 붙어 있었다. 주희 씨, 미안해요. 실수하지 않을 거예요. Cecil. 주희는 퇴근하기 직전 답례로 파우치에 있던 새 립스틱을 부랴부랴 세실에게 건넸다.

그런 세실에게 포르노 비슷한 어떤 단어도 운운할 수 없었다.

세실이 준 폼 클렌저를 다섯 번 정도 사용했을 때, 주희는 가네보사의 리콜 사태를 보도한 인터넷 기사를 봤다. 가네보 화장품을 사용한 사람들에게 피부에 하얀 반점이 생기는 백반증이 일어났다는 것이었다. 인터넷을 검색해 보니 면도칼로 피부를 한 꺼풀 벗긴 것 같은 끔찍한 사진들이 쏟아졌다. 주희는 머릿속이 새하얘졌다. 문제가 된 상품은 다행히 세실이 선물한 폼 클렌저 '에비타'는 아니었다. 전량 리콜하기로 결정했다는 또 다른 기사의 제목 아래로 검은 양복을 입은 가네보의 임원들이 머리를 숙인 사진이 있었다. 검버섯이 핀 노인들이었다. 기사 아래에는 '가네가후치 방적의 후손들이지. 전범 기업 꼴좋다!' '자민당에 뒷돈 대 주는 늙은 여우들 이제 그만 망해 버려라!' 등 알 수 없는 내용의 댓글들이 가득했다. 주희에게 '가네보'라는 이름이야 여느 유명 화장품 브랜드만큼이나 익숙했지만 '가네가후치 방적'이란 말은 난생처음 듣는 것이었다. 주희는 가네보 리콜 사태를 다룬 기사를 몇 개 더 읽어 봤다. 가네보는 몇 년간 일본 화장품 중에서도 가장 높은 인기를 끈 브랜드였다. 돌연 수입이 중단된 이후에도 웃돈을 주고 구입하려는 사람들이 적지 않았다. 주희가 관리자로 활동했던 뷰티 커뮤니티인 파우더룸에도 값비싼 가격에 중고 매물이 올라오곤 했다. 주희도 면세점이나 직구를 통해 구입했던 적이 있었다. 값싸고 품질이 우수한 것은 물론 무엇보다 패키지가 예뻤다. 가끔 파우더룸에 '나는 절대 일본 전범 기업의 제품은 쓰지 않을 것입니다.'라는 제목으로 비장하게 올라오는 글들이 있었다. 주희는 파우더룸에 접속해 '전범 기업'이나 '우익 단체 지원'과 같은 단어로 검색해 나오는 글들을 읽어 봤다. 게시글 작성자가 정리해 놓은바 화장품 및 세제 기업만 해도 셀 수가 없었다. 시세이도, 가네보, 오르비스, DHC, 안나수이, 도브, 맨소래담, 슈 우에무라, CJ라이온, 이세이미야케, 겐조, 마일드, 마죠리카⋯⋯. 전부 한국에서도 유명한 브랜드였다. 이 제품들은 앞으로 절대 구매하지 않겠다는 댓글도 있었지만, 일본의 오래된 기업 대부분이 식민 통치나 전쟁에 협력했을 텐데 이 수많은 브랜드를 어떻게 다 피할 수 있겠느냐는 댓글도 있었다.

나는 왜 한 번도 이런 문제에 대해 고민해 보지 않았을까, 주희는 생각했다. 주희는 더 이상 파우더룸의 관리자가 아니었다. 쥬쥬하우스에 입사할 때 파우더룸에서의 활동 경력으로 가산점을 받았지만, 입사한 직후 임원의 권고에 따라 활동을 그만두었다. 고등학생 시절부터 주희는 파우더룸에 붙어살았다. 주희의 색조 화장품 발색 리뷰는 매번 높은 조회수를 기록했고, 그러다 보니 개인 협찬도 많이 받아 어느덧 협찬 화장품 홍보 게시물을 올리는 게시판 관리자가 되었다. 파우더룸은 최대 규모의 온라인 화장품 커뮤니티였기에 협찬이 끊임없이 들어왔다. 수없이 많은 화장품 회사와 연락을 했지만 그중 어느 곳이 '전범 기업'인지에 대해서는 한 번도 고민해 본 적 없었다. 절친한 친구가 너는 어떻게 동물 실험을 하는 화장품 회사까지도 홍보해 줄 수 있느냐며 따져 물었을 때도 그저 화들짝 놀라고 말았을 뿐이었다. 주희에게 제품의 퀄리티 외에 다른 것은 고려 사항이 아니었다. 그러나 지금은 쥬쥬하우스의 매니저였다. 만약 쥬쥬하우스가 어떤 심각한 범죄를 저지른 단체나 사람과 연루되어 있다면 그건 자신뿐 아니라 세실에게도 매우 곤란한 문제일 것 같았다.

이런 생각을 하다가도 주희는 자신의 멍청한 얼굴이 담긴 동영상이 떠올랐다. 동영상을 본 이후 주희에게는 모든 화요일이 참회의 화요일이 되었다. 주희는 자신을 그곳으로 데려간 J에게 한 번도 따져 묻지 않았다. 왜 버번 스트리트의 한가운데, 가슴을 까라고 요구하는 남자들이 우글거리는 골목에 자기를 버려두고 떠났냐고. 뉴올리언스에서 어린 시절을 보냈다면 축제가 끝난 새벽의 버번 스트리트에서 어떤 일이 벌어지는지 당연히 알고 있지 않았냐고. 어린아이처럼 줄곧 널 따라다니던 나를 왜 거기 그냥 두고 떠난 거냐고. 뉴올리언스 여행에 다녀온 후 주희는 J와 자연스레 소원해졌다. 하지만 주희는 버번 스트리트에서의 그 일이 J의 악랄한 의도 때문에 벌어진 건 아니라고 믿고 싶었다.

주희가 'yeslut' 운영자의 이메일 주소를 알아내 메일을 쓰기로 마음먹었을 때, 세실에게는 네 번째 작문 숙제가 주어졌다. 주희는 평소처럼 일요일 오후에 세실을 만나러 갔다. 기본 교재 외에 뉴스와 칼럼 등을 복사한 자료를 가지고서였다. 처음 과외 제안을 받았을 때, 자신은 한국어 능력이 뛰어나지도, 글쓰기와 책 읽기를 좋아하지도 않아서 시험 준비에 도움이 되지 않을 것이라고 주희는 세실에게 말했었다. 세실은 어차피 시험 준비를 하는 건 한국어 공부를 더욱 열심히 하기 위한 계기를 마련하려는 것이지 점수에 큰 욕심은 없다고 했다. 자신이 바라는 건 그저 한국어로 많은 대화를 하는 거라고 세실은 몇 번이나 말했다. 그래도 그녀에게 돈을 받고 하는 일인데 시간을 때우며 놀기만 할 수는 없었다. 주희는 세실에게 작문 숙제를 내 줬다. 나의 고향, 나의 가족, 나의 어린 시절, 나의 취미, 나의 꿈……. 주희가 생각하기에 가장 쉬운 글쓰기 주제였다. 세실과 헤어져 돌아오는 길에는 핸드폰 메모장에 작문을 해 보기도 했다. 정해진 주제로 글 쓰는 일은 주희로서도 오랜만이었다.

세실과 주희는 언제나 고시원 방에서 한 시간쯤 한국어 교재로 공부를 하고 잡담을 나누다 나가서 밥을 사 먹고 근처 카페에서 작문을 검토했다. 밥값이나 커피값은 항상 세실이 계산했다. 헤어질 때 세실은 지갑에서 현금을 꺼내 주희 앞에서 차분히 세어 본 후 건네줬다. 세실이 준 돈은 교통비와 커피값으로 쓰였다. 주희는 나쁘지 않은 벌이라고 생각했다.

나는 1995년 도쿄 시부야에서 태어났습니다. 어머니는 1970년생, 나 카소네 모리오입니다. 내가 어릴 적에 부모가 이혼했습니다. 우리 집은 가난했습니다. 나는 대학을 가지 못했습니다. 어차피 공부도 잘하지 못 했습니다. 나는 유노윤호를 좋아합니다. 그래서 한국에 깊은 관심을 갖 게 되었습니다. 매일같이 한국 팝 스타의 무대를 감상하고 한국 드라마 를 보고 한국 패션 잡지를 읽었습니다. 그러다 한국어를 공부하게 되었 습니다. 내게는 영어보다 한국어를 배우는 것이 더 쉽게 느껴집니다.

주희는 세실과 비슷한 주제로 이렇게 썼다.

나는 1993년 수원 영통에서 태어났다…… 아…… 할 말이 없다…… 생 각보다 어렵구나…… 아버지는 엄하고 어머니는 자상…… 아 너무 진부 하잖아…… 나는 코덕이다. 코스메틱 덕후. 명동 쥬쥬하우스에서 일하고 있으니 나름 성공한 덕후다.

주희는 세실의 작문을 보며, 맞춤법과 띄어쓰기를 신경 쓰지 않 고 문장을 대충 만들어 낼 수 있다는 것 자체가 모국어 사용자로서 자신이 가진 권력이라는 것을 깨달았다. 뉴올리언스에서 J도 그랬 다. 모국어는 아니었지만 J는 영어에 능통했다. 주희는 문법에 맞 지 않게 말할까 봐 매번 신경을 곤두세웠고, 짧은 메모를 쓸 때도 스펠링 하나하나 꼼꼼히 따져 봐야 했으나 J는 그러지 않았다. 주 문서에 'pork lib'이라고 쓰는 J에게 스펠링이 틀렸다고 조심스럽게 알려 주자 J는 대수롭지 않게 아 그러네, 하고 고쳐 썼다. 주희였다면 대번 얼굴이 빨개졌을 것이었다. 주희는 맞춤법에 틀리지 않으려고 꼼꼼하게 적어 낸 세실의 작문을 보며, 한국어를 배우는 외국인이 보통의 한국인들보다 오히려 더 정확한 문장을 구사하지 않을까 생각했다.

'부탁드립니다. 제 얼굴이 찍힌 영상을 지워 주세요. 저는 평범한 시민입니다. slut가 아닙니다.'

영작을 하던 순간에도 주희는 그 생각을 했다.

나의 할머니外할머니, 어머니의 어머니인 와타나베 세이젠은 내가 아주 어릴 적부터 할머니의 어머니曾祖母 이야기를 많이 들려주었습니다. 1945년에 돌아가신 할머니의 성함은 이마이 사쿠라코예요. 어머니는 싱글 맘이었고 우리 집은 가난했어요. 소학교 시절에 친구들은 우리 집에 욕조가 없다고 놀렸어요. 어머니는 시내의 빵집에서 점원으로 일했고, 나는 여벌의 교복도 체육복도 마련하기 어려울 정도로 매우 힘들었습니다. 그래도 내게는 자부심이 있었어요. 나는 이마이 사쿠라코 할머니의 후손이라는 자부심. 비록 4대손인 나에게까지 후생성 유족 연금이 지원되진 않았지만, 세이젠 할머니는 사쿠라코 할머니의 남겨진 딸로서 국가의 배려를 받고 살아가고 있죠. 세이젠 할머니는 내게 아무리 삶이 어렵고 힘들어도 사쿠라코 할머니의 후손이라는 걸 잊지 말아야 한다고 언제나 말해 주었습니다. 세일러 문은 네 엄마의 할머니, 이마이 사쿠라코 할머니야. 이마이 사쿠라코 할머니와 동료들과 학생들을 기억하려고 만든 것이 바로 세일러 문이란다. 나는 할머니의 가르침을 잊지 않으려고 합니다.

1945년에 돌아가신 이마이 사쿠라코 할머니는 히메유리 학도대의 인솔 교사였습니다. 소학교 3학년 때 오키나와에 평화 학습 수학여행을 가서 '히메유리의 탑'을 처음 보았어요. 그게 우리 曾祖母를 기억하는 탑이었습니다. 1945년 오키나와 전투에서 미군의 공격을 받기 전에 여학생들을 인솔해서 명예롭게 자결하신 우리 할머니, 사쿠라코 할머니의 군대 '히메유리 학도대'를 기억하는 탑 말입니다. 매년 총리대신을 포함한 주요 관료들이 그곳을 찾아가서 참배합니다. 사쿠라코 할머니는 지금 야스쿠니 신사에 있습니다.

주희는 세실을 슬쩍 봤다. 세실은 커피를 마시며 핸드폰을 들여다보고 있었다. 주희가 내 준 작문 주제는 '나와 우리 가족'이었다. 세실의 핸드폰 케이스에는 세일러 문 스티커가 붙어 있었다. 주희는 세실의 글과, 핸드폰을 보며 킬킬거리는 세실을 번갈아 봤다. 할머니는 지금 야스쿠니 신사에 있습니다. 주희는 그 문장을 곱씹었다. 야스쿠니 신사……. 주희는 얼마 전에 읽은 가네보 리콜 사태 기사를 떠올렸다. 주희는 자기도 모르게 빨간 펜으로 야스쿠니 신사라는 단어에 밑줄을 쳤다. 세실이 주희를 쳐다봤다.

"아, 세실 상, 잘 썼네요. 여기 엄마의 할머니는 증조외할머니라고 쓰면 돼요. 외증조할머니라거나."

"그래요? 잘 썼나요? 내게는 중요한 내용이라서요."

"저보다 나은데요."

주희는 세실의 핸드폰 케이스에 붙어 있는 세일러 문 스티커를 보며 말했다.

"세일러 문은 한국에서도 유행했었는데 저는 못 봤어요."

"그런가요? 제게 아니메 전편이 있는데 보내 드릴까요? 놀랍죠? 세일러 문이 우리 할머니 이야기라는 거요."

주희로서는 작문에 나오는 내용 중 제대로 아는 것이 없었다. 주희는 화제를 돌렸다. 쥬쥬하우스에 입고된 신상품 이야기, 요즘 유행하는 메이크업 튜토리얼 이야기만으로 세실과 몇 시간이나 대화할 수 있었다. 주희와 세실에게는 곧 업무 이야기이기도 했다. 세실은 자신이 말하고자 하는 의미에 맞는 한국어 단어를 찾아내지 못하면 얼굴을 찌푸리며 울상을 지었고, 그럴 때마다 주희는 천천히 설명해 주었다. 늘 그랬듯 돈을 건네준 세실은 주희의 손을 붙들며 고맙다고 인사했다. 나는 날마다 일요일만 기다려요, 세실은 단어 하나하나 힘주며 말했다. 주희는 세실의 배웅을 받으며 그녀와 헤어졌다.

귀가한 주희는 '히메유리의 탑'과 '히메유리 학도대'를 검색해 보았다. 검색 결과가 쏟아졌다.

1945년 아시아 태평양 전쟁 말기에 오키나와에 상륙한 미군과 일본군 사이에서 벌어진 오키나와 전투에서 종군 간호부 역할을 하다 죽어 간 여고생 부대가 '히메유리 학도대'다. '히메유리'는 오키나와 현립 제일 고등 여학교의 학교 홍보지 '오토히메乙姬'와 오키나와 사범 학교 여자부의 학교 홍보지 '시라유리白百合'를 합쳐 만든 명칭이다. 오키나와에 있는 '히메유리의 탑'은 일본 학생들이 '평화 학습'의 일환으로 가장 많이 찾는 장소 중 하나이며, 이들을 주인공으로 한 영화는 끊임없이 제작되고 있다. 군복을 입은 소녀의 이미지를 떠올리게 하는 발상은 대부분 히메유리 학도대에서 비롯된 것이며, 애니메이션 「세일러 문」 역시 이 영향 아래 있다는 주장이 제기된다…….

주희는 위키 백과와 블로그에 나온 설명을 대강 읽었다. 세실의 말대로 '세일러 문'이 히메유리 학도대와 연관이 있다는 이야기가 가장 먼저 눈에 띄었다. 일부 연구자들의 주장이기는 하지만 전후 일본에서 소녀 군대의 이미지는 전부 히메유리 학도대의 영향 아래 있다고 보아도 무방할 것이다……. 주희는 아시아 태평양 전쟁이나 오키나와 전투에 대해서는 별다른 관심이 생기지 않았다. 하지만 소녀 군대라는 설정에는 호기심이 들었다. 무엇보다 세실의 외증조모가 일본에서 그렇게나 잘 알려진 군대 출신이라는 사실이 놀라웠다.

주희는 다운로드 사이트에서 '히메유리'를 검색해 화질이 가장 좋은 영상을 내려받았다. 2010년작 영화로 러닝 타임은 구십 분이었다. 「戦火で消え失せた無垢な百合よ、最後のナイチンゲール

요!」Star Lily Corps(1945), 한국어 번역 제목은 '전화에 스러져 간 순결한 백합이여, 최후의 나이팅게일이여!'였다. 주희는 제목을 보고 웃음을 터뜨리며 침대에 앉아 노트북으로 영화를 감상했다. 지루한 장면이 끝없이 이어졌다. 전통 춤을 추거나 합창을 하는 학생들과 교사들의 모습이 아열대의 배경과 함께 한참 등장했고, 그러는 중간에 뜬금없이 하얀 백합꽃이 나오기도 했다. 시종일관 배경으로 깔리는 전통 음악, 현악기가 연주하는 낮은 멜로디에 주희는 졸음이 쏟아졌다.

핸드폰 진동에 놀란 주희가 눈을 떴을 때, 노트북에서는 끔찍한 장면이 펼쳐지고 있었다. 폭탄이 떨어지자마자 군인들의 팔과 다리가 나무에 튀어 올라 주렁주렁 걸렸고, 뒤이어 학도 대원 여학생들이 울며 그것들을 수습했다. 미군 전투기가 하늘에서 폭격하고 일본군은 속수무책 쓰러졌다. 다른 부분과 다르게 이 장면만 흑백 화면이었다. 마치 1945년 당시의 실제 모습을 찍은 듯 아무런 연출도 느껴지지 않았다. 주희는 더 이상 보기 힘들어 빨리 감기로 넘겼다. 곧 아무 일도 없었다는 듯 즐겁게 떠들며 웃고 있는 여학생들이 등장했다. 제각각 하얀 강보를 들고 있는 여학생들이 우르르 개울가로 몰려가 제복을 벗었다. 새하얀 캐미솔과 거들만을 남기고 전부 벗은 소녀들이 일제히 개울로 입수했고, 카메라는 그 장면에서 멀어지더니 뜬금없이 한 송이 하얀 백합에 초점을 맞췄다. 물장구를 치며 목욕하는 소녀들의 모습이 한참 동안 흐릿하게 이어졌다.

"이제 우리 이별하는 거야. 희생 없는 승리는 없어. 우리는 저 흉악한 미군에게 결코 투항하지 않고 오키나와를 지킨다. 여기서 지키지 않으면 본토가 투항하게 될 거야."

머리에 띠를 두른 학도 대원이 힘주어 말했다. 러닝 타임을 십분 남겨 둔 상황이었다. 학도 대원들은 모여 앉아 서로 머리를 빗겨 주고 옷매무새를 정리해 주었다. 이건 이별 의식이야, 그러나 우리는 함께 가는 거야, 결의에 찬 소녀들이 다짐을 나누었다. 눈빛이 형형한 한 학도 대원이 일어나 입으로 수류탄의 안전핀을 뽑으려고 할 때, 갑자기 벌떡 일어선 교사가 그만둬! 하고 외치며 그것을 빼앗았다. 주희는 그 장면에서 눈을 크게 떴다. 둘러앉은 학생들이 교사에게 소리를 질렀다. 비겁자 사유리 선생, 당장 물러나지 못해요! 다른 교사도 벌떡 일어서며 소리쳤다. 사유리 선생, 함께하지 않으려거든 썩 꺼져요! 당신은 영원히 후손에게 부끄러워하며 생존하시오. 비장하게 외친 선생은 학생들의 한가운데 섰다. 사유리 교사는 방공호 밖으로 나가 손을 들어 투항했고, 뒤이어 폭발음이 들리며 전멸하는 학도대의 최후가 그려졌다.

주희는 엔딩 크레디트를 물끄러미 보며, 세실의 증조외할머니는 아마 '함께하지 않으려거든 썩 꺼져요!'라고 외치며 전원 자결을 이끈 그 교사이리라고 생각했다. 그러자 문득 소름이 끼쳤다. 죽지 말고 살아남자고 말하는 사람을 비겁자라고 꾸짖으며 학생들을 독려해 자살하는 선생이라니. 세실이 아주 어릴 적부터 그녀에게 증조외할머니의 이야기를 들려줬다는 세이젠 할머니는 자신을 남겨 두고 죽음을 택한 어머니를 전쟁 영웅으로 기억하며 살아가고 있다고 했다. 그게 어떻게 가능하지? 하긴…… 전쟁 영웅의 후손들은 전부 그런 식이겠지……. 주희는 그런 생각을 하다 다시 잠에 들었다.

크리스마스를 한 달 앞두고 쥬쥬하우스는 관련 프로모션으로 매일 바빴다. 할인 패키지 구성은 어느 시기보다 다양했고 기업과 단체와 연계하여 컬래버레이션 상품을 내놓았다. 주희는 거의 날마다 쥬쥬하우스의 외국인 직원들을 대상으로 프로모션 상품에 대한 설명을 했다. 매장에서 세실과 마주치면 다정한 눈인사를 주고받았다. 바쁜 시기였지만 세실과의 주말 만남은 계속되었다.

포르노 사이트 운영자에게서는 여전히 답장이 오지 않았고, 주희는 동영상이 아직도 걸려 있는지 확인할 엄두를 내지 못했다. 그럴 용기가 나지 않았다. 주희는 그저 잊는 방법밖에 없다고 생각했다. 가끔 술에 취하거나 늦은 새벽까지 잠이 오지 않을 때면 J에게 연락해서 욕하며 따지고 싶은 충동에 시달렸지만 실행하지 않았다.

크리스마스가 이 주 정도 남았을 때 본사에서 특정 상품의 수익금 전부를 일본군 성 노예제 피해자를 후원하는 기금으로 전달한다는 소식을 전해 왔다. 더불어 크리스마스이브에 명동에서 열리는 대규모 집회에도 직원들의 참여를 독려하고 필요한 물품을 후원하겠다고 했다. 명동에서는 오래전부터 매주 일본군 성 노예제 피해자를 위한 집회가 열리고 있었고, 몇 달 전에는 사람들이 많이 찾는 백화점 근처에 소녀상이 세워지기도 했다. 쥬쥬하우스의 수익에 큰 영향을 미치는 일본인 관광객 대부분은 그런 사실에 관심이 없을 듯했다. 주희는 가네보와 가네가후치를 생각했다.

"세실 상, 크리스마스이브에 유노의 콘서트에 가나요?"

"아뇨. 못 가게 됐어요. 예매에 실패해 버려서."

세실은 풀죽은 얼굴로 대답했다. 그러곤 광주에는 언제쯤 가 볼 수 있으려나요, 생각보다 여유가 없어요, 라고 덧붙였다. 주희는 차차 가면 되죠, 차차, 알죠? 하며 세실을 위로했다. 세실은 주희에게 크리스마스이브에 계획이 있느냐고 물었다. 주희에게는 별다른 일정이 없었다.

"그럼 우리 같이 놀까요?"

세실의 말에 주희는 난감했다. 휴일에도 만나서 놀 만큼 절친한 사이라는 생각은 들지 않았다. 주희는 몇 년간 성탄 연휴에는 집에서 그저 쉬면서 지냈다. 주희가 얼른 대답하지 않자 세실은 실망한 표정을 지었다. 함께 팬케이크를 먹으러 가고 싶었는데, 하고 우물거리는 세실을 보자 주희는 미안해졌다.

"그래요. 팬케이크 먹으러 가요. 가게는 어디예요?"

"쥬쥬하우스랑 가까워요. 멀지 않아요."

"쉬는 날까지 명동에서요? 그날 사람도 미어터질 텐데."

또다시 실망스러운 표정을 짓는 세실에게 주희는 그럼 가 봐요, 하고 웃어 보였다. 작문을 검토하던 주희는 문득 궁금해져 세실에게 물었다.

"그런데 세실 상, 사쿠라코 할머님께서는 결혼하고 나서도 교사 생활을 계속하셨나 봐요."

"아뇨. 그럴 리가 없죠, 주희 씨. 히메유리 학도대는 전원이 순결한 미혼녀였다고 했어요."

"그래요?"

"분명 그렇게 들었어요."

"세실 상, 그런데 사쿠라코 할머니가 어떻게 세이젠 할머니를 낳으신 거예요?"

세실의 얼굴이 서서히 굳어졌고, 주희가 느끼기엔 AV 운운한 말을 들었을 때보다 훨씬 당황한 것 같았다. 주희는 나쁜 뜻이 아니라며 말을 이어 갔다.

"아니 아니, 그때 돌아가셨다고 하셔서…… 그럼 언제 세이젠 할머니께서 태어나셨는지 궁금해서요."

세실과 주희는 모두 할 말을 잃고 어색하게 테이블만 바라봤다. 주희는 고개를 숙인 채로 살짝 세실의 얼굴을 살폈다. 세실은 표정 없는 얼굴로 앉아 있었다. 주희의 머릿속에 수류탄 안전핀을 뽑으려는 학생을 붙들며 그만두라고 소리치는 사유리 선생의 모습이 떠올랐다. 방공호 밖으로 나가 손을 들고 투항한 사유리 선생은 생존했을 것이었다. 쏟아지는 햇살에 눈을 찡그리며 미군에게 걸어가던 사유리 선생. 세실, 당신 할머니가 혹시 사유리 선생 아닌가요? 주희가 찾아본 자료에는 히메유리 학도대는 전원 자결하지 않았고 꽤 많은 수가 생존했다고 나와 있었다. 그 이후에 사쿠라코 할머니는 세이젠 할머니를 낳고, 세이젠이 모리오를 낳고 모리오가 세실을 낳고, 그래서 우리가 이렇게 마주 앉아 있는 거 아닌가요?

너무 당연하잖아요? 당신 외증조모는 살아남았다는 게.

그러나 주희는 세실에게 그런 말을 할 수 없었고, 머릿속으로 끊임없이 여러 가능성을 굴려 보고 있었다. 결혼해서 아이가 있는 상태로 종군 간호부로 참전한 사쿠라코 할머니. 최후의 순간에 아이를 떠올리며 방공호 밖으로 나온 사쿠라코 할머니. 그날 다른 곳에 있어 이별 의식에 참여하지 못한 사쿠라코 할머니. 그날이 아닌 다른 날 미군에게 포위되어 투항한 사쿠라코 할머니……. 가난하고 주눅 들어 있는 어린 세실을 위로해 주기 위해 세일러 문을 보여 주며 네 할머니의 이야기야, 옛날 옛적에…… 하고 그날 만든 이야기를 들려주는 세이젠 할머니…….

주희는 세실을 물끄러미 바라보며 그런 장면들을 떠올렸다.

세실과 주희는 약속대로 크리스마스이브에 명동에서 만났다. 세실은 주희에게 선물 꾸러미를 내밀었다. 엄마가 보내 주신 나베 냄비예요, 나는 요리를 잘 해 먹지 않으니 주희 씨가 가져요. 주희는 얼떨떨하게 그것을 받아들며 생각했다. '나도 마찬가지예요, 세실.' 주희는 미처 선물을 마련하지 못했으니 자신이 팬케이크를 사겠다고 했다.

팬케이크 가게는 쥬쥬하우스에서 이십 분 정도 걸어야 나오는 백화점 근처에 있었다. 지하철역에서 꽤 멀리 떨어진 곳이었다. 주희는 이거 생각보다 멀잖아요, 장난스럽게 구시렁댔다. 세실은 가만히 주희의 팔짱을 꼈다. 처음 있는 일이었다.

걸으면 걸을수록 행렬의 밀도가 높아졌다. 마스크를 쓴 사람들을 보며 주희는 크리스마스이브 나들이 인파에서 벗어나, 집회의 행렬에 동참하게 되었다는 것을 깨달았다. 주희는 주변을 둘러봤다. '이 역사 부정의 수렁에서 벗어나 진실한 화해와 치유의 길로!' '피해 당사자에게, 그리고 그 가족에게, 피해자들과 동시대를 살고 있는 우리 모두에게 필요한 해결의 길' 등 빼곡하게 문구를 적어 넣은 피켓이 눈에 띄었다. 그때 세실이 주희의 팔짱을 조금 더 힘주어 꼈다. 지금 무슨 시위 중인가요? 나는 시위대의 주변에 있으면 안 되는데…… 외국인은 좀 민감해서요……. 세실은 주희의 어깨에 얼굴을 갖다 댔다. 주희는 세실을 토닥이며 말했다.

"괜찮아요, 세실 상. 이건 평화로운 집회예요. 전쟁 피해자들을 위한 집회예요."

세실은 눈을 빛내며 대답했다.

"아, 그래요? 나도 중학교 때부터 반전 집회에 참여했어요, 일본에서. 우리 할머니도 전화에 돌아가셨으니까요."

주희는 기분이 이상해져 세실을 돌아봤다. 세실은 멀리 있는 것을 보려는 듯 발돋움을 했다. 주변을 둘러보며 눈시울을 붉히기도했다. 주희는 세실을 속인 것 같은 기분이 들었다. 세실, 당신의 할머니와 여기서 말하는 피해자 할머니들은 조금 달라요…… 세실의 할머니는 야스쿠니 신사에 있다면서요…….

그런 말을 세실에게는 결코 할 수 없었고 주희는 조금 참담해졌다. 세실 싱, 다른 실로 갈까요? 주희는 세실에게 진지하게 물었고, 세실은 고개를 저었다. 괜찮아요. 그냥 가요. 주희는 순간 뉴올리언스의 펍에 앉아 있던 자신이 떠올랐다.

나도 너처럼, 주희가 여행 내내 가장 많이 했던 생각이었다. J처럼 무람없이 외국 사람들과 어울려 보고 싶었고, 그들의 문화를 자연스럽게 체험해 보고 싶었다. 그 끝이 고작 포르노 영상이 되리라고는 주희는 예상하지 못했다. J는 미국인 남자애들과 우르르일어서며 주희에게 피곤하면 안 가도 돼, 여기서 좀 더 마시고 있어, 라고 말했고, 주희는 아니, 따라가고 싶어, 대답했다. 따라가고싶어. 그 말을 했던 자신을 생각해 내자 비참해진 주희는 눈을 질끈 감았다. 마르디 그라, 참회의 화요일이 육박해 오는 순간이었다. 행렬은 어느덧 소녀상 근처에 도착했고 세실은 동상의 의미를몰랐다.

최은영

2013년 중편 소설 「쇼코의 미소」로 『작가세계』 신인상을 받으며
작품 활동을 시작했다. 소설집 『쇼코의 미소』, 『내게 무해한 사람』,
『아주 희미한 빛으로도』, 장편 소설 『밝은 밤』 등이 있다. 허균문학작가상,
김준성문학상, 이해조소설문학상, 한국일보문학상, 구상문학상, 젊은작가상,
대산문학상 등을 수상했다.

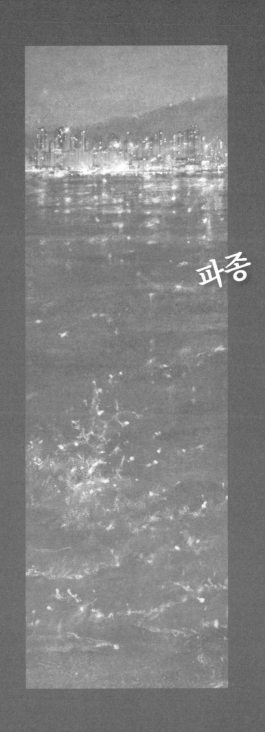

파종

우리는 작은 텃밭을 함께 가꿨다.

소리의 글은 그 문장으로 시작했다.

소리가 학교 교지에서 개최한 글짓기 대회에서 상을 받은 건 그
녀도 알고 있었다. 읽고 싶었지만 아이는 고집을 피우며 글을 보
여 주지 않았다. 엄마에게 일기장을 보여 주고 싶은 자식이 어디
있겠냐고 따져 물으면서. 그녀도 그 말에 동의했기에 더는 소리에
글을 보여 달라고 요구할 수 없었다. 그러면서도 한편으로는 일기
장이라고 할 만큼 자신의 내밀한 이야기를 글로 써서 교지에 낸 소
리가 낯설게 느껴지기도 했다. 그녀는 어떤 글에서도, 어떤 인터
뷰에서도 가장 개인적인 부분에 관해서는 이야기한 적이 없었다.

이 주일 전, 소리는 그녀에게 학교를 관두고 싶다고 말했다. 이
유를 묻자 소리는 망설이다가 입을 다물었다. 아니야, 엄마. 소리
는 그렇게 답하고 자리를 떴다. 소리가 더는 그 일을 입에 올리지

않았기 때문에 그녀도 다시 그 주제를 꺼내 묻기가 어려웠다. 그 생각을 하지 않으려 했지만, 아이가 학교를 관두고 싶어 할 만한 상황을 가정할 때마다 그녀는 마음이 가라앉았다. 그러던 중에 소리의 담임 교사에게서 연락이 온 것이다. 그녀는 가지고 있는 옷 중에 가장 단정한 감색 투피스를 입고 옅은 화장을 하고 학교에 갔다.

담임 교사는 소리를 고등학교 1학년 때부터 봐 왔다고 했다. 신중한 아이여서 자퇴하고 싶다는 말을 쉽게 입에 올리지는 않았을 것 같다고 덧붙이면서. 그녀는 소리가 학교를 관두고자 하는 이유가 있는지 조심스럽게 물었다. 교사가 모든 사실을 다 알 수 없다는 걸 알면서도, 학교에서 아이가 상처받은 일이 있었는지도 물었다. 그녀에게는 딸과 아주 가깝지는 않다는 자격지심이 있었다. 엄마가 되어서 아이와 아직 그런 이야기도 하지 않았느냐고 곧 질책당할 것 같아 두려웠다.

"쉬고 싶다고 해요."

교사가 작은 목소리로 말했다.

"지쳤대요. 자기가 이십사 시간 내내 돌아가는 컴퓨터 같다고, 잠시 전원을 꺼 두고 싶다고요."

교사는 소리가 매사에 성실했다고 말했다. 무엇 하나 대충하는 법이 없었다고 했다. 교사의 말에 그녀는 고개를 끄덕였다. 소리는 어려서부터 그런 아이였으니까.

"집에서는 어떤가요."

그녀가 어떤 대답을 해야 할지 고르는 동안 둘 사이에 어색한 침묵이 놓였다. 침묵이 길어지자 교사는 화제를 바꿨다.

"관두기로 마음을 정한 건 아니에요. 그래도 아이 마음이 그렇다는 건 어머니도 아셔야 할 것 같아서요."

"네."

소리에 대해 당신이 뭘 그렇게 많이 안다고 엄마인 나에게 충고하는 거지, 하는 반발심조차 들지 않았다. 교사의 말대로 그녀는 소리의 마음을 모르고 있었으니까. 소리는 학업도 잘 따라가고 있었고 친구들과의 관계도 원만했다. 모두 소리의 입에서 나온 말이었지만 그녀는 조금의 의심도 없이 그 말을 다 믿고 싶었다.

면담이 끝나고 일어서려는데 교사가 입을 열었다.

"드라마 잘 보고 있어요. 소리가 어머니 자랑을 많이 해요. 이번 작품도 꼭 보라고."

"소리가요?"

"네. 어머니에 대해 쓴 글 보셨는지 모르겠어요. 저번 교지 공모에 낸 거요."

"보지 말라고 해서……."

"여기 한 권 있는데 드릴게요."

교사가 책꽂이에서 교지를 꺼내 그녀에게 건넸다.

"속이 깊은 아이예요."

칭찬이 분명한 교사의 말에 그녀는 익숙한 슬픔을 느꼈다. 교사와 헤어지고 나서 그녀는 차 안에서 소리의 글을 읽기 시작했다.

그녀는 그 글에 빨려 들어갔고 마지막 문장을 읽고 나서야 자신이 울고 있다는 걸 알았다.

소리는 그와 그녀와 함께 텃밭을 가꾸던 시절에 관한 이야기를 썼다. 셋이 같이 텃밭에 가서 일도 하고 이야기도 나누고 같이 새참을 먹던 시절을 기록했다. 따뜻하고 행복한 순간의 기억이었다. 그의 죽음에 대해서도, 그 이후에 더는 텃밭에 가지 않게 된 상황에 대해서도 소리는 담담하게 써 내려갔다.

그가 세상을 떠났을 때 초등학교 6학년이었던 소리는 이제 고등학교 2학년이 되었다. 소리에게 지난 오 년은 자신의 과거가 아주 자그맣게 보일 정도의 거리를 마련해 주었을 것이다. 고작 오 년 전의 자신이 완전히 다른 사람으로 보이고, 그때의 일을 꼭 꿈처럼 느낄 시기였다. 그런 소리가 어린 시절에 그와 함께 텃밭을 가꾼 이야기를 잊지 않고 붙들고 있었다. 자기 언어로 그 작은 순간순간들을 복원했다.

소리는 언제부터인가 더는 그에 관한 이야기를 하지 않았다. 엄마인 자신의 마음을 불편하게 하고 싶지 않아서 그렇다는 걸 알면서도, 그녀는 소리의 그 모른 척이, 침묵이 좋았다. 자꾸만 과거를 되돌아보고 싶지 않았고, 슬픔과 괴로움 속에서 현재의 시간을 낭비하고 싶지 않았으니까.

소리는 어리니 금세 잊을 것이다. 그냥 모른 척하면 돼. 자극하지 말자. 사라질 거야. 그녀는 자신의 그런 주문에 어느 정도 힘이 있다고 생각했다. 더는 무너지지 않는 자신을 보면서, 자기감정에

흔들려 주어진 일을 그르치는 상황 따위를 만들지 않는 자신을 보면서 얼마간 안심했다. 그리고 그런 태도가 그가 자신에게 바란 모습일 거라고도 믿었다. 그를 계속 떠올리면서 슬퍼하고 힘들어하고 괴로워하는 모습을 가장 바라지 않을 사람은 그일 테니까.

그는 그녀보다 열다섯 살이 많았다. 돌아가신 어머니를 대신해 그는 그녀가 여덟 살 때부터 실질적으로 그녀의 부모 역할을 했다. 아침마다 밥과 반찬을 해서 도시락을 싸 주고 숙제를 봐 주고 학교에서 있었던 일을 종알종알 말하는 그녀의 이야기를 웃는 얼굴로 들어 줬다. 그래서 그녀가 그를 떠올리면 가장 먼저 생각나는 건 웃을 때 그의 얼굴이었다. 웃을 때 입가와 눈가에 지던 옅은 주름…… 소리 내어 웃던 목소리. 밖에서 어떤 일이 있든지 집에 돌아와서 그에게 말하고, 그가 웃는 얼굴로 그녀를 바라봐 주면 그녀는 마음이 놓였다. 여러 말은 필요 없었다.

'삼촌은 나를 귀여워해서 자주 웃어 줬다.'

그녀는 소리의 그 문장에 오래 머물렀다. 마지막으로 그의 웃는 얼굴을 봤던 때가 언제였는지 떠올려 봤지만 잘 기억이 나지 않았다.

그가 떠난 뒤 그녀는 오래도록 그의 마지막 모습에 머물렀다. 자신에게 공부를 가르쳐 주던 모습도, 젊었을 때의 모습도, 중년이 되어서의 모습도, 한지 가게에서 일하던 모습도, 텃밭에서 일하던 모습도, 소리와 잘 놀아 주던 모습도 모두 그 야위고 고통스러워하던 모습에 가려져 보이지 않았다. 핸드폰에 저장된 그의 사진을 들여다보는 일이 어려워졌다. 보고 싶지 않았다.

하지만 소리는 그를 다르게 기억하고 있었다. 소리의 글 속에서 그는 삽으로 능숙하게 깊이갈이를 하고 이랑을 만들었고, 호미를 들고서 김을 매고 단단하고 향기로운 토마토를 수확했다. 흙장난을 좋아하는 소리를 말리지 않았고 감자를 소리의 손으로 땅에 심게 했다. 삼촌, 물 뿌리고 싶어, 하면 물뿌리개를 잡고서 마치 소리가 물을 뿌리는 것처럼 연출해 줬고 샌드위치며 얼음을 넣은 미숫가루, 주먹밥 같은 것을 해 와서 소리와 나눠 먹었다.

"민주야, 나 좀 도와줘."

처음에 그는 그녀의 도움을 구하며 소리와 그녀를 데리고 텃밭으로 갔다. 남편과 이혼하고 다섯 살짜리 소리와 그의 집으로 들어갔을 무렵이었다. 잠시만 신세를 지고 나갈 거라고 약속했을 때, 그는 언제까지고 그곳에 있어도 된다고 했다. 그리고 그녀가 어렸을 때처럼 장을 봐서 밥을 하고 반찬을 하고 찌개를 끓여 그녀와 소리를 먹였다. 그녀가 어째서 남편과 헤어지게 되었는지, 앞으로의 계획은 어떤지 그는 아무것도 묻지 않았다. 대신 자신을 도와 달라고 했다.

그 이후로 주말이나 평일 저녁에 텃밭에 가는 건 그들만의 자연스러운 일상이 되었다. 그는 수확한 작물로 음식을 했다. 가지든 상추든 호박이든 토마토든 소리가 먹는 것이라면 가장 흠 없고 싱싱한 것을 골랐다.

소리는 힘이 들고 지칠 때 그때의 기억을 떠올린다고 적었다. 삼촌과 그 작은 밭에서 작물을 키우고 수확했을 때의 재미, 함께 주고받았던 말들, 흙과 풀 냄새…… 하지만 그런 기억이 하루하루 옅어지고 흩어져 이제는 삼촌의 목소리조차 기억할 수 없게 됐다고 썼다. 하루는 애써서 삼촌의 목소리를 떠올리려고 했지만 그렇게 되지 않아서 슬펐다고. 소리는 그렇게 썼다. 기억이 더 흐려지기 전에 글을 써서 남겨 놓아야 한다는 조급한 마음을 적어 놓기도 했다.

소리가 그리워하는 텃밭은 집에서 걸어서 십오 분 정도의 거리에 있었다. 팔아야지, 팔아야지 생각하면서도 팔지 못했고 그렇다고 다시 농사를 지을 엄두도 나지 않았다.

소리는 그가 떠난 후 몇 번 텃밭을 가꿔 보자고 말해 왔고, 그때마다 그녀는 그럴 시간이 없다고 거절했다. 그러자 언젠가부터 소리는 텃밭에 관한 이야기를 입에 올리지 않았다. 텃밭 가꾸기에 관한 정보가 담긴 삼촌의 노트를 읽지도, 네모난 비닐봉지에 담긴 작물의 씨앗을 그녀가 보는 앞에서 흔들어 보지도 않았다. 소리는 글 속에서도 다시 텃밭으로 돌아가고 싶은 자기 마음을 서술하지 않았다.

소리는 그런 아이였다. 자신이 무엇을 원하는지 말하지 않았고 어떤 것도 조르지 않았다. 슈퍼에 데려가서 먹고 싶은 것 하나를 가져오라고 하면 세 살짜리 아이가 삼백 원짜리 껌 한 통을 가져왔다. 당시 아직 이십 대였던 그녀는 그런 소리가 그저 기특하기만 했다. 그와 함께 살게 되었을 때 소리가 아이답지 않게 아무것도 조르지 않고 바라지 않는다고 그녀가 자랑하자 그는 말문을 잃었다. 그러더니 소리에게 물었다. 소리는 뭘 먹고 싶어? 소리는 뭘 하고 싶어? 아무거나 괜찮아. 소리가 대답하면 아니, 소리가 진짜 먹고 싶은 거, 라며 소리의 대답을 기다렸다. 아무거나는 답이 아니야, 소리야. 그는 그렇게 말했다.

엄마, 우리 집엔 언제 가? 묻는 소리를 보던 그의 얼굴을 그녀는 기억한다. 내색하려 하지 않았지만 그의 표정은 어느 때보다도 어두웠다.

그녀는 어려서부터 그를 웃기는 걸 좋아했다. 천진하게 웃는 그 얼굴을 보고 싶어서이기도 했지만, 그가 슬픈 사람이라는 걸 무의식적으로 알고 있어서 그랬다. 웃긴 이야기가 그의 슬픔의 크기를 줄여 줄 수 있으리라고 믿고 싶었다. 그녀의 그런 막연한 느낌은 시간이 지나면서 사실로 드러났다. 그는 세상에 잘 적응하지 못했고 늘 겉돌았으며 기본적으로 슬픈 감정을 지니고 살았다. 한지 가게를 열기 전까지는 같은 직장에 오래 다니지 못했고 사람들의 모임에도 잘 속하지 못했다.

사람들은 그와 그녀가 전혀 다른 성격을 지니고 있다고 말하곤 했다. 하지만 그도 그녀도 알고 있었다. 그들은 같은 천성을 공유했다는 것을. 그 또한 그녀의 슬픔을 너무 쉽게 알아보았다고 그녀는 생각했다.

그들이 소리를 재우고 늦은 저녁을 먹은 날이었다. 그녀는 다시 애써 농담을 시작했다. 처음에는 희미하게 미소 짓던 그의 얼굴에 표정이 사라지는 모습을 바라보며 그녀는 문득 두려워졌다.

"무슨 일 있어?"

그녀가 물었다.

"아니……."

"근데 표정이 왜 그래?"

"네가…… 여기 오고 나서 계속 쉬지 못한 것 같아서."

그가 그녀의 얼굴을 살피며 말했다. 그의 말에 마음이 비틀리며 가라앉던 순간을 그녀는 기억했다. 그녀의 얼굴에서도 웃음이 사라졌다. 한참 동안 아무 말 없이 밥을 먹다가 그녀가 입을 열었다.

"오빠."

"응."

"내가…… 그렇게 비겁했어?"

"뭐가."

"그런 결혼 했던 거."

그가 눈을 찡그리면서 그녀를 바라봤다.

"밥 먹어."

"……오빠도 그렇게 생각했구나."

"힘들었다는 거 알아."

그가 말했다.

"……"

"내가 어떻게 널 비겁하다고 생각해."

그가 웃음이 없는 얼굴로 그녀를 응시했다.

"내가 많이 실망스러웠을 거야."

그가 그녀의 말에 고개를 저었다.

"민주 넌 지금 살아 있잖아."

그녀를 똑바로 바라보면서 그가 말했다.

"그거면 돼."

시선을 피하는 그녀에게 그가 다시 말했다.

"그거면 돼, 민주야."

소리의 학교에서 돌아와서 그녀는 서재를 정리했다. 소리가 많이 지쳐 있다는 담임 교사의 말이 여전히 마음에 남아서 그녀를 아프게 했다. 자신에게는 지쳤다는 말조차도 할 수 없었던 걸까. 서재를 정리하고 나서 그녀는 다시 소리의 글을 읽었다. 소리는 기억력이 좋은 편이었다. 있었던 일을 그대로 기록했고, 거짓을 말하지 않았다. 하지만 그 글을 읽으며 그녀는 소리가 그때의 기억을 많은 부분 미화하고 있다고 느꼈다. 사실을 왜곡해서가 아니라, 그때를 바라보고 있는 소리의 시선이 그랬다. 하지만 다시 곰곰이 돌아보니 어쩌면 소리에게는 모든 것이 그렇게 보였을지도 모르겠다는 생각이 들었다.

소리는 텃밭에 가는 걸 좋아했다. 기본적으로 흙을 만지는 일을 즐겼고, 밭을 가꾸는 데 자신도 이바지한다는 느낌을 좋아했던 것 같다. 챙이 넓은 모자를 쓰고 미간을 찌푸리고서 일에 집중하던 어린 소리의 얼굴. 그녀는 그 얼굴을 너무 오래 잊고 있었다. 작물이 자라고, 작물에 꽃이 피고 열매가 맺힐 때마다 소리가 어떤 감탄을 했었는지 그녀는 잊고 있었다. 소리 정강이의 흰 흉을 볼 때마다 밭에서의 사고는 생생하게 떠올렸으면서도.

소리가 여덟 살 때의 일이었다. 밭을 매다 잠시 자리를 비운 그가 바닥에 호미를 두고 간 것이 문제였다. 하필이면 호미의 뾰족한 부분이 위쪽을 향해 있었고, 그 위로 소리가 넘어졌다. 아이는 크게 소리를 지르고 바닥에 주저앉아서 멍하니 자기 정강이를 바라봤다. 그녀가 다가와서야 소리는 엄마의 놀란 얼굴에 겁을 먹고 울기 시작했다. 그녀는 무턱대고 소리를 업고서 달렸다. 차 트렁크를 뒤지던 그가 그녀를 보고 사색이 됐다.

"가장 가까운 응급실 어디야."

그녀의 목소리가 낮게 잠겼다. 이명이 들리고 시야가 좁아졌다.

"소리야."

그가 소리의 상태를 살피려고 다가왔다.

"응급실 어디냐고."

그녀는 차 뒷자리에 올라탔다. 피가 멈추지 않았다. 그가 운전석에 타서 시동을 걸고 운전을 시작했다. 그녀는 주유소에서 받아둔 휴지를 뽑아서 소리의 상처를 지혈하며 말했다.

"애가 있는데 호미를 그렇게 두면 어쩌자는 거야."

그녀는 후회할 줄 알면서도 그렇게 말했다.

"미안해."

"애 흉이라도 생기면 어떡할 거냐고. 제정신이야?"

그러자 소리가 그녀를 바라봤다. 그만해. 소리는 눈빛으로 그렇게 말하고 있었다. 소리는 파상풍 주사를 맞을 때도, 벌어진 상처를 꿰맬 때도 눈을 꼭 감고 통증을 참았다. 처치를 마치고 그녀는 주차장에서 기다리고 있던 그를 투명 인간 대하듯 했다. 그가 질문하면 짧게 답하고 침묵했다. 한동안 그녀는 그에게 냉정하게 대했고, 소리의 흉터에 관한 이야기가 나올 때면 자신에게 그럴 권리가 있는 것처럼 그에게 잔인하게 말했다.

그가 언제나 그녀에게 져 주는 사람이라는 것을 알고 있어서, 자신이 아무리 잔인하게 대해도 참고 견뎌 줄 사람이라고 생각해서 그를 그토록 애틋하게 여겼으면서도 동시에 그렇게 대했다. 그리고 이제는 어떤 식으로도 지난 일을 만회할 수 없었다.

소리는 해가 지기 전에 들어왔다. 집에 와서 손을 씻고 냉장고에서 요구르트를 꺼내서 마셨다. 그러더니 사 인용 식탁에 앉아서 핸드폰을 만졌다. 할 말이 있을 때 소리는 그런 식으로 식탁에 앉아서 그녀를 기다렸다.

"담임 선생님 좋으시더라."

그녀가 소리의 대각선 맞은편에 앉으며 말했다. 소리는 여전히 핸드폰에 시선을 두고 있었다.

"선생님이랑 얘기 많이 한 것 같던데."

소리가 핸드폰을 뒤집어서 식탁 위에 올려놓고 그녀를 마주 봤다. 그녀를 향한 소리의 은은한 분노가 느껴져서 그녀는 문득 두려워졌고, 그런 모습을 내색하지 않으려고 여유 있는 표정을 지으려 노력했다.

"네가 많이 지쳤다고 말했다며. 쉬고 싶다고."

소리는 대답하지 않고 시선을 돌려 부엌 벽 쪽을 바라봤다.

"쉬고 싶으면 학원을 다 관두든지 그렇게 하자. 학교를 관둔다는 건……."

"그런 게 아니야, 엄마."

소리가 다시 그녀 쪽으로 시선을 돌리고 말했다.

"그럼 뭔데. 네가 말을 안 하면 내가……."

"신경 쓸 것 없어."

"솔직히 말해 봐."

"큰일 아니야, 진짜."

소리는 어른이 아이를 달래는 것처럼 그녀에게 대답했다. 그녀는 소리의 그런 뻔한 거짓말에 속아 주는 척을 하기가 어려웠다.

소리는 일찍 철이 들었다. 고작 초등학교 3학년일 때부터 집 안에서 자신이 해야 할 일을 찾아서 했다. 싱크대에 더러운 그릇이 있으면 재빨리 설거지하고, 쓰레기 봉지가 가득 차면 낑낑거리며 내다 버리고, 어른들이 모두 집에 없으면 자기 혼자서 밥을 차려 먹었다. 그는 소리의 그런 모습을 마냥 대견해하지 않았다. 하루는 그녀에게 소리가 혹시 자기 눈치를 보는 것 아니냐고 걱정 섞인 말을 하기도 했다.

"혼자서도 다 잘하고 소리도 이제 다 컸네."

집에 놀러 온 이모가 그렇게 말하자 그의 얼굴이 어두워졌다.

"소리 아직 아이예요."

그가 단호한 얼굴로 말했다. 그는 소리가 가끔 짜증을 내고 고집을 피울 때도 소리를 야단치지 않았다.

"그러다가 애 버려, 오빠."

그때는 그런 균형이 있었다고 그녀는 생각했다. 그가 소리의 억성을 들어 주고, 그녀가 훈육하는 식의 균형. 올바른 육아는 아니었겠지만 그래도 그녀와 그는 소리에게 최선을 다했다. 적어도 그들의 아버지 같은 사람이 되지 않기 위해서 애썼다.

부모가 함부로 뱉는 말이 어린 자식에게 얼마나 파괴적으로 다가왔는지 아버지는 알았을까. 폭언으로 물들던 유년의 밤을 그녀는 떠올렸다. 나가 죽으라고, 너 같은 게 살아서 뭐 하느냐고, 그냥 죽어서 없어져 버리라고. 아버지의 말은 내면의 목소리가 되어서 마흔이 넘은 지금까지도 그녀를 따라다녔다. 아버지는 그녀를 물리적으로 때리지 않았다는 사실을 늘 자랑스럽게 이야기하곤 했다. 하지만 아버지에게 가혹한 구타를 당하는 그의 모습을 볼 때면, 차라리 맞는 사람이 자신이었으면 좋겠다는 소망이 일었다. 그러면 마음이 덜 아플 것 같았으니까.

그녀가 여덟 살이었던 겨울에 그가 동네의 떠돌이 개를 집으로 데리고 온 일이 있었다. 그는 몹시 추운 날인 데다 개가 자기를 따라와서 외면할 수 없었다고 했다. 입가가 까맣고 마른 황구였다. 어린 그녀는 개를 쓰다듬으면서도 아버지가 집에 도착하면 어떤 일이 벌어질지 불안했다. 늦은 밤에 들어온 아버지는 그들에게 개가 불쌍하면 밖에 나가서 개랑 같이 자라고 소리쳤다. 그녀가 아버지 말을 문자 그대로 이해하고서 자기 이불을 들고 개와 함께 아파트 복도로 나가자 그도 그녀를 따라 나왔다. 아버지는 그녀가 보는 앞에서 그의 뺨을 때렸다. 그러고는 개를 아파트 밖으로 쫓아냈다.

그는 말을 하기 전에 눈을 크게 두 번 찡그리는 버릇이 있었다. 손가락 모양으로 부어오른 뺨을 만지면서 그는 계속해서 눈을 찡그렸다. 무슨 말을 하지 않을까 기다렸지만 그는 계속해서 눈을 찡그리기만 했다. 그녀는 복도 난간 구멍으로 아파트 앞 광장을 바라봤다. 개는 보이지 않았다.

그녀는 어려서부터 소리 내지 않고 우는 법을 알았다. 입을 최대한 꽉 다물고 침을 삼키면 됐다. 눈물이 흐르면 재빨리 옷소매에 닦으면 됐다. 그녀는 괜히 떠돌이 개를 집으로 데려온 그가, 개와 함께 이불을 들고 복도로 나가는 자신을 말리지 않은 그가, 풍선 터지는 끔찍한 소리를 내며 뺨을 맞는 그가, 떠돌이 개에 잠시나마 희망을 갖게 한 그가 원망스러웠다. 그녀는 그런 식으로 일평생 그를 부당하게 원망하고 때로는 부끄러워했다.

지금까지의 인생이 연습 게임이라면, 본 게임이 시작되고 다시 그가 떠돌이 개를 데려왔던 그날로 돌아갈 수 있다면, 발길질을 당한다고 해도, 벽에 던져진다고 해도 그를 위해 아버지에게 맞서고 싶었다. 그와 함께 울어 주고 싶었다.

하지만 모두 다 부질없는 상상일 뿐이었다. 죽어서라도, 다시 태어나서라도 그 고마움과 미안함을 전할 수 있다면 좋겠지만 그녀는 그렇게 믿을 수 없었다. 그녀의 마음에는 단순한 진실만이 남아 있었다. 그는 이제 세상에 없으며, 그가 그녀에게 준 마음을 갚을 방법 같은 건 없었다. 아무것도 돌이킬 수 없고, 그에 대한 그녀의 마음은 인정하지 않으려 해도 지울 수 없는 후회와 미안함으로 남을 것이다.

"완전히 사라지는 건 아무것도 없어."

문득 그녀는 그의 말을 떠올렸다.

"아니, 죽으면 끝이야."

그녀가 그를 타박하듯이 말했다.

"엄마는 분명히⋯⋯."

"나약하니까 그런 생각 하는 거지. 맨정신으로는 견딜 수가 없으니까. 이해가 안 되니까. 그걸 받아들일 용기가 없으니까."

"네가 맞을 수도 있겠지. 아무도 모르는 거니까."

"글쎄? 난 그런 거 안 믿어. 비겁하다고 생각해."

그녀는 그런 상상을 하는 그가 부러웠고, 지금도 부러웠다. 사랑하는 사람이 사라져도, 그 몸이 잿가루가 된다고 하더라도 여전히 그 사람이 다른 방식으로 존재하리라는 그 낙관이 부러웠다. 아무리 노력해도 그녀는 그와 같은 사고를 할 수 없었으니까. 그

런 비과학적인 믿음은 자기기만과 다를 바 없다고 생각했다. 그가
마지막 숨을 내쉬었을 때, 그것이 그녀에게는 그와의 마지막이었
다. 그 이별을 남들이 만들어 놓은 진부한 상상으로 덧칠하지 않
는 것이 떠난 사람에 대한 예의라고도 생각했다.

"민혁이 영혼 위해 기도할게. 민혁이가 하늘나라에서 민주 잘
보살펴 줄 거야."

고모가 장례식장에서 그런 말을 했을 때 그녀는 자기도 모르게
쓴웃음을 지었다.

"그런 거 안 믿어요. 그리고 오빠가 저를 뭐 언제까지 보살펴
줘요?"

오빠. 믿지는 않지만 그런 게 있다면…… 영혼이라는 게 있다면
여기 더는 머무르지 마. 그냥, 다 잊고 멀리 가 버려. 이쪽으로는
눈길도 돌리지 마. 그녀는 울며 생각했다.

그녀는 그에게 받은 것이 많았다. 그가 없었더라면 그녀는 고통
스러운 결혼을 여전히 끝내지 못했을지도 몰랐다. 작가의 꿈은 진
작에 접었을 것이다. 그는 그녀의 선택을 믿고 지지했고 소리의
육아에 최대한 협력하겠다고 말했다. 그리고 그 약속을 지켰다.
그는 그녀가 대학 선배의 보습 학원에서 아르바이트하는 저녁 시
간에 소리를 돌보았고, 서른이 넘은 그녀에게 작가의 꿈을 버리지
말라고 부탁했다. 소리를 유치원에 보내고 난 뒤 습작을 할 때, 그
는 그녀에게 그 어떤 집안일도 해서는 안 된다고 말했다. 시간을
아껴 글을 써. 너부터 생각해. 그리고 그녀는 그렇게 했다.

몇 년 후 마침내 그녀가 첫 단막극으로 입봉했을 때, 그는 '각본 이민주'라고 쓰인 드라마 오프닝 장면을 캡처해서 자기 가게에 표구해 걸어 뒀다. 작은 가게에는 시계 하나 걸 수 있는 좁은 빈 벽이 있었는데, 시계를 빼고 그 자리에 액자를 걸어 둔 거였다. 왜 그런 걸 걸어 뒀냐고, 당장 치우라고 타박하면서도 그녀는 그의 마음에 눈물이 났다. 그는 어떤 것도 자랑하는 사람이 아니었다. 자신을 드러내는 것을 싫어했고, 과시와는 거리가 멀었다. 그런 그가 남들에게 그녀를 자랑하고 있었다. 내 동생이 이토록 멋진 사람이라고 말하고 싶어 어쩔 줄 몰라 했다. 그녀가 무슨 대단한 작가라도 된 것처럼, 특별한 사람이라도 된 것처럼.

그녀의 농담 목록에는 늘 그의 환갑잔치에 관한 이야기가 들어 있었다. 그가 그녀보다 얼마나 나이가 많은지 과장해서 놀리는 방법이었다. 그가 환갑을 맞을 수 없으리라고 생각해 본 적이 없었던 것이다.

입원 후 그는 의사에게 직접 자기 상태에 대한 설명을 들었다고 했다. 잘 해낼 거라고 말하는 그의 눈에서 그녀는 집념을 읽었다. 할 수 있는 한, 최대한 오래 삶을 이어 가고 싶다고 그는 말했다. 의사 말만 잘 들으면 돼. 하라는 건 다 할 거야.

치료가 이어지면서 그는 한낮에도 계속 자다 깨기를 반복했다. 몸은 불덩이였고 그녀는 물수건으로 그의 얼굴을 계속 닦아 줬다. 내색하는 사람이 아니었지만, 그의 고통은 몸과 얼굴에, 목소리에

묻어 나왔다. 식사가 나오면 고작 국물 몇 모금 먹고 더는 먹지 못
했다. 그녀에게 익숙했던 표정이 사라졌다. 가끔 상태가 조금 나
아지면 그는 그녀를 가만히 바라봤다. 그녀가 농담을 던지면 그제
야 희미하게 미소 짓는 정도였다.

"오빠가 미웠던 것 같아."

그녀는 병상에 누워 있는 그에게 말했다. 그는 대답하지 않고
계속 말해 달라는 듯이 두 눈을 찡그렸다.

"그리고 그건 지금도 그래. 밉고, 꼴 보기 싫어."

"그래……."

그의 얼굴에 옅은 미소가 어렸다. 상태가 급격히 안 좋아지기
전, 아직 말을 하고 미소 지을 수 있던 시기였다.

"오빤 늘 그랬지. 언제나 내 편이라고, 날 도울 거라고……."

그가 눈을 깜빡이자 그의 눈에서 눈물이 흘러내렸다.

"미안해."

그녀는 그렇게 말하고 그의 침대에 얼굴을 묻었다.

복도에서 사람들이 낮은 목소리로 이야기하는 소리가 들렸다.
창에 들이치는 바람 소리가 들렸다. 창밖으로 굵은 비가 내리고
있었다.

"민주야."

"응."

"너 힘든 거, 나 줘…… 가지고 갈게."

그녀는 그를 바라보기만 했다.

"여기."

그는 그녀의 마음이 무슨 물건이라도 되는 것처럼 그녀에게 손을 뻗었다. 자기 손 위에 그녀의 이야기를 올려 달라는 듯이.

그녀는 그의 손을 잡고 고개를 저었다.

그는 눈을 감고 얼마 지나지 않아 잠들었다. 붉은 얼굴을 둘러싼 흰 머리칼이 꼭 유리 섬유처럼 빛을 내고 있었다. 민주는 여전히 그의 손을 꼭 잡고 있었다.

그날 이후로 모든 것이 달라졌다. 그는 말을 잃었고 희미한 미소를 잃었고 의미를 알 수 없는 소리를 냈다. 그리고 종국에는 그 소리마저 사라졌다.

부당하다고 생각했다. 그도 그렇게 생각할 거라고 그녀는 믿었다. 죽음으로 가는 길이 힘겨워도 의미가 있을 것이며, 죽음이 끝이 아니라고 생각한 그가 삶을 원했다. 살며 어떤 것에도 특별히 욕심을 내지 않았던 그가 더 살고 싶어 했다. 그가 초연했더라면, 순순히 그 상황을 받아들였다면 그녀도 그 순간을 다르게 기억했을까.

모든 치료가 중단되었고, 마지막 사흘 동안 그에게는 의식이 없었다. 그녀는 육 주 만에 처음으로 소리를 병원에 데려왔다. 의식이 있을 때 그는 소리가 자신의 모습을 보지 않기를 바랐다.

"놀라지 마."

그녀가 몇 차례나 소리에게 경고했다.

소리는 그를 보고도 우물쭈물하지 않았고, 두려워하지도 않았다. 달려가서 누운 그를 끌어안고 울면서 그에게 말했다.

"기다렸어, 삼촌. 기다렸어."

'믿을 수 없이 긴 시간이었다. 시간이 가지 않았다.'

그녀는 소리가 쓴 그 구절에 다시 시선을 뒀다.

그 문장이, 석 달 동안 엄마를 기다리던 때를 떠오르게 했다. 바로 집으로 돌아가지 못하고 책가방을 메고서 이곳저곳을 기웃거리며 최대한 시간을 끌었던 일. 동네에서 깔깔대며 모여 노는 아이들을 보며 그녀는 자신이 그 세계를 떠났다는 걸 알았다. 다시는 그 아이들과 같이 모래 장난을 하고 그네를 탔던 자신으로 돌아갈 수 없다는 걸 직관적으로 이해할 수 있었다.

세상은 온통 뿌옇게 보였다. 누구도 그녀에게 실제로 벌어지고 있는 일이 무엇인지 알려 주지 않았다. 그녀는 처음으로 막연함을 느꼈다. 막연한 두려움, 막연한 슬픔, 막연한 외로움. 무엇 하나 손에 잡히지 않았고 그 시간은 끝날 것 같지 않았다. 그래서 길을 돌고 돌아 집으로 갔다. 그렇게라도 시간을 버리고 싶었다.

그녀가 여덟 살이었던 그때, 그는 스물셋이었다. 갓 제대해서 복학했다가 어머니의 투병으로 다시 휴학했다. 그와 이모가 돌아가며 어머니를 간병했다는 걸 그녀는 나이가 들어서 그에게 듣게 됐다. 아버지가 누군가와 전화하는 소리, 가끔 집에 들어오는 그가 깊은 잠을 자는 모습…… 막연함은 차츰 분명함으로 변해 갔다. 하루하루 집 안에 쌓이는 비통함의 공기는 그녀가 숨을 들이마시고 내쉴 때마다 그녀의 몸속을 드나들며 그녀를 일깨웠다.

그는 그녀가 어리므로 큰 병원에는 출입할 수 없다고 했다. 병원에는 병균이 많고, 그래서 들어갈 수 없다고. 하지만 어느 날인가 그는 그녀를 데리고 어머니의 병실로 갔다. 병실 문을 열기 전까지 떨려서 가슴이 뛰던 일을 그녀는 기억한다. 문을 열고, 창가 침대에 앉아 있는 어머니를 바라봤을 때, 어머니는 그녀가 알던 모습이 아니었다. 그녀는 몸이 굳은 채로 문 앞에 서 있었다.

어머니는 자신 쪽으로 오라고 몇 번 손짓하다가, 그녀가 여전히 한 자리에 서 있자 창가로 고개를 돌리고 몸을 들썩이며 울었다. 그녀는 두려운 마음으로 어머니에게 다가갔다. 얼어붙어 아무 말도 나오지 않았다. 민주야…… 민주야…… 어머니의 거친 음성을 들으며 그녀는 차마 엄마, 라는 말을 할 수 없었다.

"민주야, 일어나."

그녀는 오빠를 따라 장례식장으로 갔다. 그곳에서 그녀는 어른들도 때로는 아이처럼 운다는 걸 알았고, 어른들이 자신을 염려하면서도 동시에 어떤 호기심으로 자신을 관찰하고 있다는 사실도 눈치챘다. '어린애가 아무것도 모르고.' 사람들은 그저 멀뚱히 앉아 있는 그녀를 보며 말했다.

그날 이후로도 그녀는 신발주머니를 들고서 가장 먼 길을 택해 집으로 돌아갔다. 자신이 여전히 엄마를 기다리고 있다는 걸 아무에게도 말하지 않은 채로. 민주야, 오래 기다렸지. 잠깐 무슨 오해가 있었대. 그런 말을 하며 현관문을 열고 들어오는 다정한 엄마의 모습을 그려 보았다. 그랬지? 거봐. 내가 그럴 줄 알았다니까! 엄마가 세상에 없다니, 말도 안 된다고 생각했어. 그런 상상으로 그녀는 자신이 느껴야 했던 마음을 영원히 유예했다. 그리고 아직도 꿈에서 그녀는 누군가를 기다렸다. 꿈에서 깨어났을 때도, 그녀는 다시 돌아오지 않을 사람들을 기다리는 자신을 발견했다.

핸드폰을 집에다 두고 이십 분 지각을 한 친구에게, 내가 좀 있다 연락할게, 기다려 봐, 이야기하고 다시 전화하는 것을 잊은 애인에게 그녀는 내색하지 않았지만 깊이 상처받았다. 기약 없는 기다림이 꼭 버려지는 일 같아서였다. 눈물이 나도 그 마음을 누구도 이해할 수 없으리라고 생각해서 그저 참았다.

지난 일주일 동안 그녀는 소리의 글을 매일 읽었다. 읽을 때마다 새로운 문장에 눈이 갔고, 그런 문장에서 그녀는 오래 머물렀다.

밤 열 시. 수학 학원에 다녀온 소리가 현관문을 열고 들어왔다. 그녀는 소리가 샤워하고 잠옷으로 갈아입기를 기다렸다. 소리는 다 씻고서 잠옷 차림으로 텔레비전 보는 걸 좋아했다. 얼마 지나지 않아 소리가 거실로 나왔다. 회색과 빨간색이 섞인 체크무늬 잠옷이었다. 처음에는 품이 컸지만 소리가 자라면서 지금은 딱 맞는 옷이 됐다. 소리는 소파에 누워서 리모컨으로 채널을 넘기기 시작했다. 그녀는 소파 아래에 앉아서 소리와 하루 동안 있었던 일을 주고받았다. 이야기가 다 끝나자 소리는 동유럽 팔 박 십 일

패키지여행 상품을 판매하는 홈 쇼핑 방송에 채널을 고정하고 텔레비전을 바라봤다.

"자퇴하는 거, 생각해 봤어?"

그녀가 텔레비전에 시선을 두고 작은 목소리로 말했다.

"잘 못 들었어. 뭘 생각해 봤냐구?"

그녀가 소리 쪽으로 몸을 돌려서 조금 더 목소리를 키웠다.

"학교 그만두고 싶다고 한 거. 아직도 그런가 해서."

"신경 쓰지 말라고 했잖아……."

소리가 몸을 일으켜 자리에 앉았다.

"네가 하고 싶으면 해."

그녀가 말했다. 소리가 놀란 얼굴로 그녀를 바라봤다.

"생각나? 너네 삼촌이 항상 물어봤었잖아."

대수롭지 않게 이야기하고 싶었는데 그 말을 하자 갑자기 목이 메었다.

"소리야, 뭐 하고 싶어? 네가 아무거나, 하고 답하면……."

더는 말이 나오지 않아 그녀는 입술을 깨물고 눈을 꼭 감았다.

"아무거나는 답이 아니야, 그랬지."

소리가 끊어진 문장을 이어서 말했다.

"맞아."

그녀는 눈물을 참고서 소리를 바라봤다.

"왜 그런지 말하지 않아도 좋아."

"……"

"부탁할게."

소리와 그녀가 다시 텃밭을 찾아갔을 때, 밭은 쓰레기장이 되어 있었다. 다 쓴 부탄가스 통, 담배꽁초, 통조림 캔, 일회용 플라스틱 컵, 크고 작은 생수 컵, 일회용 나무젓가락, 다 먹고 남은 닭 뼈, 마스크, 소주병, 맥주병, 깨진 유리 조각, 바퀴가 없는 자전거, 컵라면 용기, 장화, 개똥까지 종류도 다양했다. 아직 날이 쌀쌀해서 잡초들이 무성하게 자라지 않은 것이 불행 중 다행이었다. 쓰레기를 치우는 데 꼬박 한나절이 걸렸다.

날이 풀리고 그들은 퇴비와 석회, 붕사를 차에 싣고 가서 밭 전체에 골고루 뿌리고 삽으로 깊이갈이를 했다. 전날 큰 봄비가 내려서 작업을 하기 좋았다. 그다음에는 쇠갈퀴로 흙을 잘게 부수고 평평하게 골랐다. 그의 방에서 남아 있는 씨앗들을 살펴보았다. 사월 중순에 뿌리기 좋은 순무 씨앗이 눈에 들어왔다.

그들은 하루 날을 잡아 밭을 고르고 이랑을 만들기 시작했다. 그가 일하는 모습을 봤던 기억과, 농사 과정을 세세하게 기록하고 그림으로까지 남긴 그의 노트를 참고했다. 이랑을 다 만들고 나서 그녀는 가져온 순무 씨앗을 꺼냈다.

"손바닥 내밀어 봐."

그녀는 순무 씨앗을 소리의 손바닥 위에 쏟아 놓았다. 둘은 한참 동안 아주 작은 구슬처럼 생긴 씨앗들을 바라보았다. 한눈에 봐서는 모두 보라색 같았지만, 자세히 보니 어떤 것은 갈색, 어떤 것은 붉은색, 어떤 것은 진한 보라색이었다.

"구멍 하나에 두 개씩 넣으면 된대."

그녀는 작은 막대기로 땅에 구멍을 내고, 소리는 그 구멍에 순무 씨를 넣고 흙으로 덮었다. 조금이라도 자세가 흐트러지면 일을 그르칠 것처럼 별다른 대화도 나누지 않고 조심스럽게 작업을 진행했다. 씨를 다 뿌리고 소리가 물뿌리개로 두둑에 물을 줬다. 그녀는 그런 소리 곁을 가만히 따라다녔다.

그들은 일을 끝마치고 그늘에 쪼그리고 앉아 밭을 바라봤다.

"정말 무가 자랄까?"

소리가 물었다. 그 말 앞에 '삼촌이 없는데도'라는 말이 생략되어 있다는 걸 그녀는 알았다.

"자라지 않을까? 잘 돌봐 주면."

"그렇겠지?"

"응."

그녀는 그렇게 답하고 습관처럼 소리의 정강이에 시선을 뒀다. 그 시선을 눈치챈 소리가 말했다.

"키가 자라니까 길어지면서 흉이 옅어졌어."

소리가 검지로 다리의 흉터를 만졌다.

"그때 기억나?"

그녀가 물었다.

"응."

"많이 아팠지."

"그럼. 엄청 아팠지. 그때 삼촌이 막……."

거기까지 말하고 소리가 눈을 질끈 감았다.

"삼촌이 막……."

소리가 말을 더 잇지 못하고 고개를 들어 그녀를 바라봤다. 자신이 무슨 이야기를 하는지 이해하지 않느냐는 표정이었다. 그녀가 고개를 끄덕이자 소리가 흉터를 쓰다듬으며 말했다.

"근데 난 이게…… 없어지지 않았으면 좋겠어."

그렇게 말하고 소리가 곧추세운 제 무릎에 머리를 기대고 눈을 감았다. 시원한 바람이 소리와 그녀에게 불어왔다. 연한 나뭇잎이 바람에 스치는 소리가 들렸다. 나뭇가지가 흔들릴 때마다 봄볕이 눈을 따갑게 했다. 그녀도 소리를 따라 무릎을 세우고 앉아 머리를 기대고 눈을 감았다. 없어지지 않았으면 좋겠어…… 바라지 않아도 그 흔적은 사라지지 않을 거야. 그녀는 속으로 말했다. 푸른 무청이 가득한 텃밭을 그리면서. 그곳으로 찾아올 햇볕과 비와 바람과 작은 벌레들을 기다리면서.

작품 출처

- 정지아, 「존재의 증명」, 『자본주의의 적』, 창비 2021
- 박상영, 「요즘 애들」, 『믿음에 대하여』, 문학동네 2022
- 정소현, 「엔터 샌드맨」, 『품위 있는 삶』, 창비 2019
- 김금희, 「월계동月溪洞 옥주」, 『크리스마스 타일』, 창비 2022
- 김지연, 「먼바다 쪽으로」, 『창작과비평 201호』, 창비 2023
- 박민정, 「세실, 주희」, 『바비의 분위기』, 문학과지성사 2020
- 최은영, 「파종」, 『아주 희미한 빛으로도』, 문학동네 2023